Arriver à M

En avion

Au départ de Paris, comptez 6h40 de trajet sans escale.
Le prix du billet AR varie selon les périodes de l'année, prévoyez en moyenne 700 € en basse saison *(janv.-mai, oct.-nov.)* et 1 000 € en haute saison *(juin-sept. et déc.)*.
🚶 *« Venir en avion »*, p. 4.
Aéroport Pierre-Elliott-Trudeau – *Montréal* - ☎ 514 394 7377 ou 800 465 1213 - www.admtl.com. Situé à 22 km du centre-ville, il est encore bien souvent appelé « Dorval » (son ancien nom). L'aérogare dispose de tous les services d'un grand aéroport international : comptoirs de location de voitures, bureaux de change, nombreux restaurants et bars, ainsi que plusieurs boutiques avec des produits hors taxes. Une fois vos bagages récupérés, dirigez-vous vers l'arrêt de bus situé juste devant le hall des « Arrivées », vous ne pourrez pas le manquer. Un **comptoir d'accueil** vous renseignera sur tout le réseau de transports de la ville et vous délivrera toutes les informations touristiques désirées (réservation d'hôtels, visites…).

Accès au centre-ville

➜BUS
La **ligne Express 747**, qui assure la liaison avec le centre-ville, compte

suite ... trajet ...min, selon l'état du trafic. Il vous en coûtera **8 $**. Ne jetez pas ce billet après votre arrivée au centre-ville, il est encore valable 24h dans les transports en commun.
www.stm.info – Possibilité de télécharger le trajet et les horaires.
🚶 *« Transports en commun »*, p. 14.

➜TAXI
Les compagnies de taxis assurent la liaison avec le centre-ville. Comptez 30mn de trajet et **40 $** la course (prix fixe, pourboire non inclus).
🚶 *« Pourboire »*, p. 10.

CARTES MUSÉES MONTRÉAL
Vendues en ligne, dans les centres d'informations touristiques et dans les musées partenaires. Vous aurez le choix entre deux formules.
Avec transport (65 $ TTC) : valable 3 jours consécutifs, elle donne un accès gratuit à 38 musées et aux transports en commun.
Sans transport (60 $ TTC) : valable 3 semaines, elle donne un accès gratuit à 38 musées pendant 3 jours non consécutifs.
Informations – ☎ 877 266 5687 - www.museesmontreal.org.

Station de métro Berri-UQAM, par Pierre Gaboriau.

2

Destination Montréal

Préparez votre voyage

Formalités d'entrée

Pièce d'identité

Un passeport en cours de validité est nécessaire aux ressortissants français, belges et suisses pour entrer sur le territoire canadien.

Par précaution, avant d'entreprendre votre voyage, assurez-vous auprès de l'ambassade du Canada la plus proche de votre lieu de résidence que vous disposez des documents nécessaires.

www.dfait-maeci.gc.ca – Site des Affaires étrangères où vous trouverez la liste des ambassades, consulats et missions du Canada à l'étranger.

Douane

La circulation de certaines marchandises (tabac, alcool, œuvres d'art, médicaments…) et de sommes d'argent en liquide est soumise à restriction.

Si vous avez un traitement médical en cours, n'oubliez pas d'emporter votre ordonnance et vérifiez que vos produits pharmaceutiques sont clairement étiquetés pour le passage de la douane.

www.cbsa-asfc.gc.ca – Le site de l'Agence des services frontaliers du Canada informe des réglementations.

Venir en avion

Les compagnies régulières

Les principales compagnies nationales assurent des vols réguliers directs.

Air Canada – ☎ *0 825 880 881 (0,15 €/mn, France)* ; ☎ *070 220 100 (Belgique)* ; ☎ *0 848 247 226 (Suisse)* - www.aircanada.com.

Air France – ☎ *36 54 (0,34 €/mn, France - 6h30-22h)* - www.airfrance.com.

Brussels Airlines – ☎ *0 902 51 600 (0,75 €/mn, Belgique - lun.-vend. 9h-19h, sam. 9h-17h)* - www.brusselsairlines.com.

Swiss International Airlines – ☎ *0 848 700 700 (Suisse)* - www.swiss.com.

Autres compagnies

Air Transat – ☎ *0 825 120 248 (0,15 €/mn, France - lun.-vend. 9h-19h, sam. 9h-18h)* ; ☎ *00 800 872 672 88 (Belgique et Suisse)* - www.airtransat.com. Vols au départ de Nantes, Bordeaux, Toulouse, Marseille, Nice, Lyon, Mulhouse/Bâle et Bruxelles *(mai-oct.)*.

British Airways, KLM, Lufthansa – www.britishairways.com ; www.klm.com ; www.lufthansa.com. Vols réguliers avec escale, via Londres, Amsterdam et Francfort.

Corsair – ☎ *0 820 042 042 (0,12 €/mn, France)* - www.corsair.fr. Vols directs entre Paris et Montréal *(mai-nov.)*.

🚶 *« En avion », p. 1.*

Argent

Devise – L'unité monétaire est le **dollar canadien** ($ CA ou $), divisé en cents. 1 $ = 100 cents.

Change – Taux en octobre 2012 : 1 $ = 0,78 € ; 1 € = 1,28 $.

En ville, les bureaux de change sont nombreux ; l'aéroport offre également des services de change.

🚶 *« Banques », p. 8.*

Cartes de crédit – Les cartes bancaires de type American Express, Carte Visa/Carte bleue, Diners Club et MasterCard/Eurocard sont largement acceptées et souvent considérées comme une garantie, pour réserver une chambre d'hôtel par exemple.

Elles permettent également de retirer des dollars 24h/24 dans les guichets automatiques des banques, situés un peu partout (aéroport, gares, attractions touristiques, supermarchés, etc.).

Chèques de voyage – Ils constituent un autre moyen simple de se procurer des devises. Ils sont acceptés dans la plupart des hôtels, restaurants et commerces.

Assurances

Au Québec, les frais hospitaliers sont très élevés pour les étrangers : comptez environ 2 500 $ par jour de frais d'hospitalisation (voire plus selon les services). Avant votre départ, il est donc indispensable de souscrire une assurance assistance voyage comprenant le rapatriement.
Pour certains, si le billet d'avion a été acheté avec la Carte bleue en agence ou en ligne, cette assurance est déjà comprise. Renseignez-vous auprès de votre banque.

Saisons

L'**hiver** est la première saison associée au Québec. Annoncé dès le mois de décembre par d'importantes chutes de neige, il se maintient jusqu'en mars ou avril selon les années. L'air est sec et froid, et le ciel connaît d'importantes périodes d'ensoleillement. Température moyenne en janvier : -10 °C/-5 °C. Depuis les années 1990, l'hiver est de plus en plus doux et court.

Avec le **printemps** revient la période des fameuses parties de sucre, lors desquelles on célèbre la récolte de la sève d'érable (👉 p. 115). Cette courte saison s'étale de fin mars à fin avril. Les journées sont encore fraîches et les soirées froides. Température moyenne en avril : 0 °C/8 °C.

La **saison touristique estivale** s'étend de mi-mai à début septembre et bat son plein en juillet-août. C'est la saison des festivals en tout genre et des terrasses qui ne désemplissent pas. Température moyenne en juillet : 15 °C/26 °C. Mais attention, à Montréal, l'été peut être d'un coup très chaud (jusqu'à 35 °C) et humide.

En **automne**, les paysages revêtent des couleurs splendides, variant du vert au jaune ocre, orange et rouge écarlate. L'été indien dure seulement quelques jours, il s'agit d'un redoux passager après les premières gelées. Température moyenne en octobre : 2 °C/11 °C.

www.meteo.gc.ca – Service météorologique d'Environnement Canada.

Pour en savoir plus

Sur Internet

www.bonjourquebec.com/fr – Site touristique officiel du gouvernement du Québec. Incontournable pour une approche générale. Outre la présentation des 22 régions touristiques, dont Montréal, des lieux à visiter et des activités à pratiquer, vous trouverez des propositions de séjours thématiques. Vous pourrez aussi télécharger ou commander des brochures et profiter du service de réservation pour l'hébergement et les transports. Des liens vers les billetteries de spectacles sont proposés.

Un service de **discussion en ligne** avec des conseillers est ouvert en semaine *(9h-17h, merc. 10h)*. Attention au décalage horaire si vous « clavardez » depuis la France *(15h-23h, merc. 16h-23h)*.

www.tourisme-montreal.org – Site officiel de l'office du tourisme du Grand Montréal.

www.ville.montreal.qc.ca – Site de la ville de Montréal comprenant un onglet « Activités et loisirs ».

www.montrealinfo.com – Calendrier des événements, recherche par quartiers, transports et loisirs.

www.montrealplus.ca – Renseignements sur les hôtels, bars, restaurants, sorties… Site très complet.

Apple Store – Application gratuite « Musées de Montréal ».

Par téléphone

Tourisme Québec en France – ℘ 0 800 90 77 77 (numéro gratuit) - 15h-23h (merc. 16h-23h).

Tourisme Québec en Belgique – ℘ 0 800 78 532 (numéro gratuit) - 15h-23h (merc. 16h-23h).

Tourisme Québec en Suisse – ℘ 00 1 514 873 2 015 - 15h-23h (merc. 16h-23h).

Librairie québécoise à Paris

La Librairie du Québec – *30 r. Gay-Lussac - 75005 Paris* - ℘ *01 43 54 49 02* - *www.librairieduquebec.fr.* Littérature, cartes, guides… : tout sur la destination Québec. Possibilité de commander sur le site Internet. « Pistes de lecture » ou « Choix des libraires », les ouvrages sont commentés.

Sur place

🕭 *Voir plan p. 68-69.*

Centre Infotouriste – B2 - *1255 r. Peel, à l'angle de la r. Ste-Catherine* (🅜 *Peel*) - ℘ *514 873 2015 - www.tourisme-montreal. org - de fin juin à fin août : 9h-19h ; de déb. avr. à fin juin et sept.-oct. : 9h-18h ; nov.-mars : 9h-17h - fermé 1er janv. et 25 déc.* Outre son comptoir d'information, le centre Infotouriste de Montréal fournit un large éventail de services : visites guidées de la ville, réservation de chambres d'hôtel, location de voitures, bureau de change et librairie.

Bureau d'accueil touristique du Vieux-Montréal – D1 - *174 r. Notre-Dame Est* (🅜 *Champ-de-Mars*) - *juin-sept. : 9h-19h ; avr.-mai : 10h-18h ; oct.-nov. : 9h-17h.* Comptoir d'informations touristiques uniquement sur le Vieux-Montréal.

Votre séjour de A à Z

Alcool

Dans les bars et restaurants, les boissons alcoolisées sont servies de 11h à 3h (dernier verre servi à 2h30). L'âge légal de consommation d'alcool au Québec est de 18 ans.

Spécificité québécoise importante, la vente des vins et spiritueux est un monopole d'État. Vous devez vous rendre dans les nombreux magasins de la Société des alcools du Québec ou **SAQ**. Les bouteilles portent le label « Vins de qualité certifiée ».

Toutefois, certains établissements, comme les dépanneurs ou épiceries, sont également autorisés à vendre du vin (souvent de piètre qualité), des bières et des cidres locaux.

👤 *« Restauration », p. 12.*

La **taxe** sur l'alcool, en supplément de la TPS et de la TVQ (👤 *p. 12*), est appliquée dans les magasins de la SAQ et chez les dépanneurs, soit 0,40 $ par litre de bière et 0,89 $ par litre de vin.

Banques

Monnaie

Le dollar canadien se divise en 100 cents ou **sous**. Il existe des pièces de : 5 cents = 1 nickel (5 sous), 10 cents = 1 dime (10 sous), 25 cents = 1 quarter (25 sous), 1 dollar (familièrement appelé une piastre, à prononcer *piasse*) et 2 dollars.

Les billets sont de 5, 10, 20, 50, 100, 500 et 1 000 $.

Évidemment, les grosses coupures sont plus difficiles à écouler dans les petits commerces.

👤 *« Argent », p. 4.*

Horaires

Les banques sont généralement ouvertes du lundi au vendredi de 10h à 15h.

Retraits

Vous pourrez retirer de l'argent dans l'un des nombreux distributeurs automatiques de billets (ATM).

Une commission variable, selon votre établissement bancaire en France, est prélevée à chaque opération. Mieux vaut retirer une grosse somme d'un coup.

Virements

Dans les agences spécialisées dans le transfert international de fonds (Thomas Cook, Moneygram, Western Union…), le change est souvent moins avantageux et les commissions sont excessives.

En revanche, par leur intermédiaire, il est possible de se faire virer rapidement de l'argent liquide au Québec.

Consulats

En cas de vol ou de perte de vos papiers, les adresses suivantes seront utiles :

France – *1501 McGill College - bureau 1000 - Montréal (QC) H3A 3M8 - 📞 514 878 4385 - http://consulfrance-montreal.org.*

Belgique – *999 bd Maisonneuve-Ouest - suite 1600 - Montréal (QC) H3A 3L4 - 📞 514 849 7394 - www.diplomatie.be/montrealfr.*

Suisse – *1572 av. Dr Penfield - Montréal (QC) H3G 1C4 -* 📞 *514 932 7181.*

Décalage horaire

Il faut compter **6h de moins** entre la France, la Belgique ou la Suisse, et le Québec.

Électricité

Au Québec, le courant alternatif est de 110 V et 60 Hz. Les appareils européens nécessitent des **adaptateurs** à fiches plates, disponibles chez les spécialistes de l'électronique ou du voyage.

Handicapés

Les structures facilitant la vie quotidienne des personnes handicapées, notamment celles circulant en fauteuil roulant, sont nombreuses et efficaces.
www.keroul.qc.ca – L'association Kéroul publie, en collaboration avec les guides de voyage Ulysse, un répertoire touristique pour les personnes à capacité physique restreinte, intitulé

PAS DE PANIQUE !
Police, pompier, ambulance :
📞 911.
Info santé (assistance médicale 24h/24) : 📞 811.
Perte/vol cartes de crédit
(service en anglais) :
Visa : 📞 800 847 2911.
Master Card : 📞 800 307 7309.
Amex : 📞 866 247 6878.

Le Québec accessible, en commande par mail sur le site *(24,95 $ HT).*

Horaires

Musées – En général, durant la période estivale *(juin-sept.),* ils ouvrent quotidiennement de 10h à 19h. Le reste de l'année, ils ferment à 17h et le lundi.
Magasins – Du lundi au vendredi de 9h à 18h (jusqu'à 21h le jeudi et le vendredi), le samedi de 10h à 17h et le dimanche de 12h à 17h.
Les centres commerciaux, eux, restent ouverts jusqu'à 21h tous les soirs de la semaine. Il n'est pas rare de trouver des supermarchés ouverts 7 jours/7 jusqu'à 23h.
Pharmacies – Pour les pharmacies de garde, consultez les sites des magasins Jean Coutu (www.jeancoutu.com) et Pharmaprix (www.pharmaprix.ca).
♿ « *Banques* » ci-contre ; « *Poste* », p. 10.

Internet

Le WiFi gratuit est accessible en de nombreux lieux touristiques de la ville et dans les édifices publics. Consultez le site **www.ilesansfil.org** ou téléchargez gratuitement l'application « Île sans fil » dans l'Apple Store.

Jours fériés

Nouvel An – 1er et 2 janvier.
Vendredi saint – Vendredi précédant le dimanche de Pâques.
Lundi de Pâques – Lundi suivant le dimanche de Pâques.
Fête des Patriotes – Lundi précédant le 25 mai.

Fête nationale du Québec – 24 juin.
Fête du Canada – 1er juillet.
Fête du Travail – 1er lundi de septembre.
Jour de l'Action de grâce – 2e lundi d'octobre.
Jour du Souvenir – 11 novembre.
Noël – 25 et 26 décembre.

Patinage

Une des activités les plus populaires à Montréal, à la fois bon marché et offrant un contact direct avec la nature. Elle nécessite un minimum d'équipement.

Patinoire couverte
Atrium Le 1000 – *1000 r. de La Gauchetière* (♿ *Bonaventure*) - ℰ *514 395 0555 - www.le1000.com - 11h30-21h (lun. 11h30-18h), w.-end 12h-21h (dim. 10h30-12h réservé aux -13 ans accompagnés) - 7 $ (enf. 5 $), loc. de patins 6,50 $ et casque 1 $.*

Patinoires en plein air
De décembre à mars, selon la météo.
Lac aux Castors – *Accès libre.* Dans le parc du Mont-Royal, patinage au milieu des érables, chênes rouges, bouleaux pleureurs et écureuils.
Parc Lafontaine – *Accès libre, loc. de patins 8 $.* La patinoire du Plateau est bondée en fin de semaine.
Quais du Vieux-Port – *ℰ 514 496 7678 - www.quaisduvieuxport.com - entrée 6 $, loc. de patins 7 $.*

Poste

Timbres
L'affranchissement au tarif de première classe (carte postale ou lettre jusqu'à 30 g) coûte 1,75 $ à destination de l'Europe, 59 cents pour le Canada, 1,03 $ pour les États-Unis.

Boîtes aux lettres
De grosses boîtes rouges accueillent votre courrier à proximité des bureaux de poste, pharmacies et dépanneurs.

Horaires
Les grands bureaux de poste sont ouverts du lundi au vendredi de 9h à 17h. De nombreux petits bureaux peuvent ouvrir plus tard.

Pourboire

Dans les restaurants, les bars et les taxis, il est d'usage de laisser un pourboire de 10 à 15 % du total de la note hors taxes pour le service.
Les chasseurs d'hôtel et les bagagistes reçoivent un pourboire au gré du client. À titre indicatif, donner 1 ou 2 $ par bagage est courant. Pas de pourboire dans les cinémas et les théâtres.
♿ *« Taxes », p. 12.*

Presse

Francophone
Le Devoir (www.ledevoir.com) – Quotidien d'information indépendant ; infos culturelles.
La Presse (www.cyberpresse.ca) – Quotidien-tabloïd d'information depuis 1884 ; programme des spectacles.
Le Journal de Montréal (www. journaldemontreal.com) – Tabloïd d'information du groupe Québecor sur la ville de Montréal ; programme des festivités.
Voir (www.voir.ca) – Hebdomadaire culturel gratuit.

Hôtels ? Restaurants ?
Savourez
les meilleures adresses !

Envie d'une bonne petite table entre amis, d'une chambre d'hôtes de charme pour s'évader le temps d'un week-end, d'une table d'exception pour les grandes occasions ? Plus de 8700 restaurants, hôtels et maisons d'hôtes vous sont recommandés partout en France. Savourez les meilleures adresses avec le guide MICHELIN.

Anglophone
The Gazette (www.montrealgazette.
com) – Quotidien d'information depuis
1785 ; infos culturelles.
Magazine Musées Montréal
(www.museesmontreal.org) – Magazine
gratuit des musées, infos sur les
expositions ; disponible dans les
38 musées de la ville.

Restauration

Tout d'abord, sachez que le petit-
déjeuner s'appelle ici le « **déjeuner** » ;
le déjeuner, le « **dîner** » ; et le dîner, le
« **souper** ». Le dîner se prend vers 12h,
et le souper entre 17h30 et 19h.
Attention, contrairement à sa
signification en France, la table d'hôte
n'indique en aucun cas que vous êtes
invité à manger chez des particuliers.
Au Québec, la **table d'hôte** est
une formule affichée à l'extérieur des
restaurants, qui comprend une entrée
ou une soupe, un plat et un dessert. En
général, son prix (moins cher à midi que
le soir) figure au-dessus de ceux des
plats.
Certains restaurants, n'ayant pas la
licence de vente d'alcool, acceptent
que les clients apportent leur
bouteille de vin. Ils affichent alors
en vitrine « **Apportez votre vin** »
ou **BYOW** (« *bring your own wine* »
en anglais).
𝄢 « *Alcool* », p. 8 ; « *Pourboire* », p. 10 ;
« *Se restaurer* », p. 27.

Tabac

Il est interdit de fumer dans les lieux
publics (bars et restaurants compris).

Taxes

Attention, au Québec, les **prix** sont
généralement mentionnés **hors taxes**,
celles-ci étant ajoutées au moment du
paiement en caisse.

TPS, TQV et autres
TPS (taxe fédérale sur les produits et
services) : 5 % du montant hors taxes.
TVQ (taxe de vente du Québec) : 8,5 %.
Bref, quand vous verrez un prix, pensez
à **ajouter 13,5 % du montant**, un bon
exercice de calcul mental pour certains
et un casse-tête pour d'autres !
De plus, il existe une taxe propre à
l'**hébergement**, de **3,5 %** du montant
hors taxe par nuitée pour Montréal.
Enfin, certains produits sont soumis à
d'autres taxes : tabac, essence, alcool.
𝄢 « *Alcool* », p. 8.

Taxis

Les taxis sont une des rares professions à
afficher les tarifs taxes incluses (à savoir :
3,45 $ pour la prise en charge, 1,70 $
par km et 0,63 $ par mn d'attente). Le
prix à régler est donc celui indiqué au
compteur.
Taxi Coop Montréal – 𝄐 514 725 9885.
Taxi Diamond – 𝄐 514 273 6331.
𝄢 « *Pourboire* », p. 10.

Téléphone

De l'étranger vers Montréal
Composez le code d'accès international
de votre pays : 00 (pour la France,
Belgique et Suisse) + indicatif du
Canada : **1** + indicatif régional : **514** pour
Montréal + n° à 7 chiffres.

De Montréal vers l'étranger

Composez le **011** + indicatif du pays :
France : **33** ; Belgique : **32** ; Suisse :
41 + n° du correspondant
sans le 0 initial.

À Montréal

Appels interurbains – Composez
le **1** + indicatif régional (3 chiffres) +
n° du correspondant (7 chiffres).
Appels intra-urbains – Composez
l'indicatif régional (3 chiffres) + n° du
correspondant (7 chiffres).
Le Québec compte quatre indicatifs
régionaux :
514 : communauté urbaine de Montréal
et île Perrot ;
450 : Laval, Rive-Nord, Rive-Sud,
Laurentides, région du Richelieu ;
418 : ville de Québec, Gaspésie et est de
la province ;
819 : Cantons-de-l'Est, Hull, régions du
Nord.

Renseignements

Dans la zone d'appel – ☏ 411.
Hors de la zone d'appel – Composez
le 1 + indicatif régional + 555 1212.
Téléphoniste – Pour obtenir l'aide d'un
téléphoniste, composez le 0.

Tarifs

Les numéros commençant par 800, 866,
877 et 888 sont gratuits mais ne peuvent
être appelés qu'à partir du Canada.
Beaucoup d'hôtels majorant les
communications, il est plus avantageux
de téléphoner d'une cabine publique.

Cabines téléphoniques

Elles fonctionnent avec des pièces, des
cartes prépayées ou des cartes bancaires
(plus cher).

Les cartes téléphoniques s'achètent
dans les magasins Téléboutique™ de
Bell Canada, les principales chaînes
hôtelières, les aéroports, les auberges
de jeunesse et les bureaux de tourisme.
D'autres cartes s'utilisent depuis les
appareils privés (celui de votre chambre
d'hôtel par exemple).

Téléphones portables

Si vous souhaitez utiliser votre
mobile au Québec, renseignez-vous
sur les conditions tarifaires auprès
de votre opérateur. Assurez-vous
que votre appareil est adapté aux
normes américaines et que la fonction
« internationale » est bien activée.
Lorsque vous êtes à l'étranger, n'oubliez
pas que les communications sont
payantes tant à l'émission qu'à la
réception.
Vous pouvez opter pour l'acquisition
d'une **carte Sim sur place**, une formule
économique *(à partir de 15 $)* qui vous
permettra d'être joint gratuitement
sur un numéro depuis les box Internet
françaises. Attention : les cartes Sim de la
compagnie Bell ne sont pas compatibles
avec les portables français ; celles de la
compagnie Fido, par exemple, le sont.

Toilettes

Soyons clairs : l'expression « Où sont les
toilettes ? » est remplacée au Québec
par « Où est la salle de bains ? » En cas
de problème technique avec la chasse
d'eau ou le sanitaire, il vous faudra
respectivement indiquer à l'employé
du restaurant ou de l'hôtel qu'il y a un
problème de « flush » ou de « bol ».

13

De manière générale, les toilettes publiques, de restaurants, bars… affichent une propreté irréprochable.

Transports en commun

La STM, Société de transport de la communauté urbaine de Montréal, gère métro et autobus.

STM – ☏ 514 786 4636 ou 514 288 6287 *(pour les horaires de bus)* - www.stm.info. « Planibus » disponible à la station Berri-UQAM. Application mobile STM gratuite (iPhone et Androïd).

Objets trouvés – ☏ 514 786 4636 + 4 + 2 - tlj. sf w.-end 8h-18h. Centre de services à la clientèle de la station Berri-UQAM *(niveau mezzanine)*.

Réseau

Le réseau de métro et de bus est assez dense et dessert tous les quartiers du centre-ville, ça se complique pour les arrondissements éloignés.

Les stations de métro se trouvent très espacées, il faut donc bien réfléchir (surtout en hiver) à la sortie exacte désirée, sous peine de parcourir quelques kilomètres à pied ! Identifiés par un panneau bleu et blanc, les arrêts de bus sont, eux, assez rapprochés. Les stations de métro de Montréal, conçues par des architectes, intègrent art pictural et sculpture. Citons, entre autres, l'œuvre de Marcelle Ferron à la station Champ-de-Mars et celle de Jordi Bonet à la station Pie-IX. Vous serez peut-être surpris de voir que les Abribus en verre sont inversés par rapport à la France. Il s'agit simplement de protéger les personnes qui attendent le bus en hiver des projections de « sloshe » (neige mouillée).

À noter : dans ce guide, le symbole ↻ précède le nom de la station de métro.

Horaires

Métro – Le service est généralement assuré de 5h30 à 0h30 et jusqu'à 1h le samedi. Cependant, chaque station ou ligne a ses propres horaires.

Bus – Les horaires des bus sont calés sur ceux du métro, vous aurez toujours une correspondance après le dernier métro.

Titres de transport

Les **tickets** de métro, valables aussi pour l'autobus, s'achètent à l'unité dans les stations, au prix de 3 $ pour 1 passage et 5,50 $ pour 2 passages. Attention : les chauffeurs de bus ne vendent pas de billets et ne rendent pas la monnaie (ayez l'appoint de 3 $ et déposez les pièces dans la machine). Pour circuler économiquement sur tout le réseau, procurez-vous la carte magnétique « **L'occasionnelle** » : 1 jour, 9 $; week-end illimité *(vend. 18h-lun. 5h)*, 12 $; 3 jours consécutifs, 18 $.

La carte à puce « Opus » (6 $) à créditer selon ses besoins n'est pas avantageuse pour un court séjour.

↻ *Plan du métro au dos du plan détachable en fin de guide.*

Vélo

C'est un bon moyen d'appréhender la ville. Les passionnés de la petite reine apprécieront les plus de 650 km de voies cyclables. Pour plus de détails sur les itinéraires vélo, dénivelés et curiosités, procurez-vous, au centre Infotouriste ou en librairie, le guide *Balades à vélo à Montréal* ou *Le Québec cyclable*.

Cartes et Atlas MICHELIN

Trouvez bien plus que votre route

À savoir : sur toutes les lignes de métro, il est possible de transporter son vélo dans les rames et de stationner de manière sécurisée à côté des gares.

Réseau

www.montreal-facile.com/plans-montreal – Sur ce site, vous pouvez télécharger le plan des pistes cyclables. Les incontournables :
– la piste allant du Vieux-Port au parc René-Lévesque, le long du canal de Lachine (retour possible par la voie du pôle des Rapides longeant le fleuve) ;
– la voie au départ du Vieux Montréal menant aux îles Notre-Dame et Ste-Hélène via le pont de la Concorde (retour possible par le pont Jacques-Cartier) ;
– la piste qui rejoint le parc de l'île de la Visitation, au nord.

Location

Bixi – ☎ 514 789 2494 ou 877 820 2453 - http://montreal.bixi.com. Montréal dispose d'un réseau de vélos en libre-service. Des bornes de location sont installées dans les rues d'avril à novembre. 30 premières minutes gratuites ; abonnement à la carte : 24h (7 \$) et 72h (15 \$). On peut louer jusqu'à deux vélos avec la même carte de paiement.

Visites guidées

À pied

Guidatour – ☎ 514 844 4021 ou 800 363 4021 - www.guidatour.qc.ca - de fin juin à déb. oct. : tlj ; de mi-mai à fin juin : w.-end. Visites guidées du centre-ville (1h15 - 12,50 \$, 6-12 ans 6,50 \$) et du Vieux-Montréal (1h30 - 21 \$, 6-12 ans

12 \$). Billets en vente au kiosque Exploratours du centre Infotouriste de la rue Peel et devant la Boutique du parvis de la basilique Notre-Dame.
VDM Global DMC – ☎ 514 933 6674 ou 800 455 6674 - www.vdmglobal. com - mai-oct. - 55/65 \$. Visites guidées culinaires (« Saveurs et arômes du Vieux-Montréal », « Histoires et délices du marché Atwater », etc.).

À vélo

Ça Roule Montréal – 27 r. de la Commune Est - ☎ 514 866 0633 ou 877 866 0633 - www.caroulemontreal.com - juin-sept. : tour de 4h - 65 \$ (vélo inclus). Parcours thématiques guidés, avec possibilité de prolonger la balade seul. Location de vélos (et de rollers).
My Bicyclette – 2985 r. St-Patrick ☎ 514 317 6306 - www.mybicyclette.com - de mi-avr. à mi-oct. : tour guidé 10h-13h - 55 \$. Idéalement positionné au départ de la piste cyclable du canal de Lachine (face au marché Atwater) : tours guidés et location de vélos.
Vélo Montréal – 3880 r. Rachel Est - ☎ 514 259 7272 - www.velomontreal. com. Ce loueur de vélos propose des itinéraires par quartiers.
Maison des cyclistes – 1251 r. Rachel Est - ☎ 514 521 8356 - www.velo.qc.ca. Une boutique, un café « Bicyclette » et un kiosque d'info sur toutes les balades à vélo à Montréal. La Maison des cyclistes tient aussi lieu de centre d'enregistrement pour la Féria du vélo (👆 p. 18).

En calèche

www.vieux.montreal.qc.ca - mai-oct. : 9h-23h - 1h - 75 \$. Circuit dans le quartier historique du Vieux-Montréal, au départ de la place Jacques-Cartier (rue de la Commune).

En bus

Gray Line Montréal – *1255 r. Peel - ℰ 514 934 1222 ou 800 461 1223 - www.coachcanada.com - 3h - 51,50 $.* Visite guidée à travers la ville. Comptoir de billetterie au centre Infotouriste.

En bateau

Vieux-Port

Amphi-Bus – *Billetterie rue de la Commune (à l'entrée de King-Edward) - ℰ 514 849 5181 - www.montreal-amphibus-tour.com - juin-sept. : dép. ttes les heures 11h-20h ; mai et sept.-oct. : dép. 12h, 14h, 16h et 18h - 1h15 AR - 32 $ (6-12 ans 18 $).* L'Amphi-Bus, spécialement conçu pour cette excursion, permet une visite guidée du Vieux-Montréal avant de descendre le St-Laurent pour un petit voyage en bateau aux abords de la cité du Havre.

Croisières AML – *Quai King-Edward - ℰ 514 284 7792 ou 866 228 3280 - www.croisieresaml.com - de déb. mai à mi-oct. : croisière guidée 1h ou 1h30 - 24 $ (6-12 ans 14 $).* Les promenades en bateau offrent une belle perspective sur la ville de Montréal vue du fleuve, en particulier sur les installations portuaires, les différents ponts, les îles et la voie maritime du St-Laurent.

Diverses formules : Excursion maritime *(1h - 24 $)*, mais aussi Brunch-croisières, Croisière de soir, Bus-baleines Express *(1 journée - 180 $)*…

Saute-Moutons – *Quai de l'Horloge - ℰ 514 284 9607 - www.jetboatingmontreal.com - mai-oct. : dép. 10h, 12h, 14h, 16h et 18h - 1h AR - 67 $ (13-18 ans 57 $).* Remontée du fleuve jusqu'aux tumultueux rapides de Lachine en bateaux-jets. Cœurs sensibles s'abstenir ! Les vues sur Montréal et ses environs sont splendides, en particulier si le retour se fait au coucher du soleil.

Bateau-Mouche – *Billetterie quai Jacques-Cartier - ℰ 514 849 9952 ou 800 361 9952 - www.bateau-mouche.com - 15 mai-15 oct. : dép. 11h, 12h30, 14h30 et 16h - à partir de 24 $.* Croisières commentées sur le St-Laurent (1h ou 1h30). Le soir à 19h, départ pour une croisière-dîner (tenue correcte exigée) d'une durée de 3h30.

Pôle des Rapides

Croisière patrimoniale du canal de Lachine – *ℰ 514 283 6054 - www.pc.gc.ca/canallachine - sur réserv. - à partir de 18 $.* Embarquement quai du marché Atwater sur le bateau *Navark Dollier-de-Casson* pour une promenade originale sur cette voie d'eau offrant un point de vue unique sur les quartiers du sud-ouest de Montréal.

Agenda culturel

Rendez-vous annuels

JANVIER

➜**Igloofest** – www.igloofest.ca.
Trois week-ends *(jeu.-sam. 18h30-0h)* :
concerts et DJ sur le quai Jacques-Cartier
(Vieux-Montréal).

➜**Fête des neiges** –
www.fetedesneiges.com. Durant trois
week-ends, les familles se rendent au
parc Jean-Drapeau pour profiter des
diverses activités : patinoire, glissoires
sur tube, sculptures sur neige…

FÉVRIER

➜**Festival Montréal en lumière** –
www.montrealenlumiere.com.
La 2ᵉ quinzaine dans le centre-ville
(place des Arts). Au programme :
gastronomie, culture, illuminations
(jeu.-dim.) et animations. En clôture, la
municipalité propose la très populaire
« **nuit blanche** » avec de nombreux
spectacles à travers la ville.

➜**Rendez-Vous du cinéma
québecois** – www.rvcq.com. Pendant
dix jours, courts et longs métrages
réalisés au Québec sont présentés à la
Cinémathèque québécoise (📖 *p. 92)*.

MARS

➜**Défilé de la Saint-Patrick** –
www.montrealirishparade.com. À la
mi-mars, défilé de tous les Irlandais
de Montréal sur la rue Ste-Catherine :
fanfare, chars…

MAI

➜**La Féria du vélo** – www.velo.qc.ca/
info/feria. Nombreuses animations

autour du vélo avec les très appréciés
Tour la Nuit et Tour de l'île de Montréal.

➜**Mutek** – www.mutek.org. Rendez-
vous international de musique
électronique durant une semaine.
Concerts répartis entre le Quartier des
spectacles et le parc Jean-Drapeau.

➜**Biennale de Montréal** –
www.biennalemontreal.org. Pendant
tout le mois, rendez-vous culturel
organisé par le Centre international
d'art contemporain *(prochaine édition
en 2013)*.

MAI-SEPTEMBRE

➜**Piknic Electronik** –
www.pikniceletronik.com. Concerts
(DJ) en plein air tous les dimanches au
parc Jean-Drapeau.

LE CIRQUE DU SOLEIL

Avec des spectacles novateurs
alliant musique, théâtre, danse et
numéros de cirque traditionnels,
l'incontournable cirque sans
animaux enchante aux quatre coins
de la planète. Fondée en 1984 en
Charlevoix par **Guy Laliberté**
et **Daniel Gauthier**, la petite
compagnie de jadis est devenue en
vingt-cinq ans une multinationale
du divertissement avec une
vingtaine de spectacles tournant à
travers le monde.
📖 www.cirquedusoleil.com

JUIN

→**FrancoFolies de Montréal** – www.francofolies.com. La version québécoise du festival de la chanson francophone se déroule pendant dix jours dans le Quartier des spectacles.

→**Grand Prix du Canada** – www.circuitgillesvilleneuve.ca. Pendant trois jours, tout Montréal vibre au rythme du circuit Gilles-Villeneuve sur l'île Notre-Dame.

→**Festival international de jazz** – www.montrealjazzfest.com. Durant deux semaine, la foule se presse dans le Quartier des spectacles.

JUIN-JUILLET

→**International des feux Loto-Québec** – www.parcjeandrapeau.com. Concours d'art pyrotechnique sur l'île Ste-Hélène.

JUILLET

→**Festival Juste pour rire** – www.hahaha.com. Les humoristes francophones du monde entier ont tous leur chance sur les planches de ce festival (Quartier des spectacles).

→**Festival international Nuits d'Afrique** – www.festivalnuitsdafrique. com. Deux semaines de concerts de musique africaine dans le Quartier des spectacles.

→**Festival Complètement cirque** – www.montrealcompletementcirque. com. Sous chapiteau, en salle ou en extérieur, des troupes du monde entier assurent le spectacle.

AOÛT

→**Festival des films du monde** – www.ffm-montreal.org. Festival de cinéma international avec la remise en clôture du Grand Prix des Amériques.

→**Célébrations de la Fierté** – www.fiertemontrealpride.com. Spectacles, expositions… durant une semaine.

SEPTEMBRE

→**Pop Montréal** – www.popmontreal. com. Réparti sur plusieurs salles du centre-ville, ce festival de musique pop créé en 2002 connaît un succès croissant.

OCTOBRE

→**Festival du nouveau cinéma de Montréal** – www.nouveaucinema.ca. Pendant dix jours, le cinéma d'auteur et la création numérique sont à l'honneur.

DÉCEMBRE

→**Féeries de Noël** – www.lesfeeriesduvieuxmontreal.info. Festivités, village de Noël, grand bal pour le Nouvel An dans le Vieux-Montréal.

Galeries d'Art

Centre des Arts actuels Skol – *372 r. Ste-Catherine Ouest - Espace 314 - ✆ 514 398 9322 - www.skol.ca.* Programmation éclectique (vidéos, installations, dessins, etc.).

Centre de diffusion d'art multidisciplinaire Dare-Dare – *✆ 514 793 7002 - www.dare-dare.org.* Roulotte-bureau près de la station de métro St-Laurent : œuvres exposées en extérieur ou dans des espaces publics.

Arsenal – *2020 r. William (Ⓜ Georges-Vanier ou Lionel-Groulx) - ✆ 514 931 9978 - www.arsenalmontreal. com.* Grande galerie d'exposition dans un ancien chantier naval.

20

Dépanneu (gare Centrale).

DÉPANNEU

M. Sanchez / MICHELIN

Nos adresses

21

Se loger

Même si l'offre de logement à Montréal se révèle très complète, à la différence de Paris, Londres ou New York, les petits hôtels font cruellement défaut. Les grands hôtels, tous concentrés dans le centre-ville et appartenant très souvent à de grandes chaînes, s'avèrent relativement onéreux et proposent des chambres au style standardisé.

De loin, l'option Bed & Breakfast constitue le meilleur compromis. Le petit-déjeuner y est copieux, et le cadre authentique est représentatif de l'habitat montréalais (maisons de 2 ou 3 étages, en pierre dans le Vieux-Montréal, de style victorien dans le Quartier latin ou en bois et brique sur le Plateau Mont-Royal).

Les périodes du Festival international de jazz et du Grand Prix de F1 fin juin, et en général de toutes les manifestations importantes de l'été, sont synonymes de hausses de tarifs conséquentes (jusqu'à 30 %) et de carences d'hébergements dans le centre-ville. Il est fortement recommandé de réserver plusieurs mois à l'avance.

Les établissements proposent de nombreux « spéciaux » (promotions) pour la fin de semaine *(vend.-dim.)*, les hommes d'affaires étant rentrés au foyer. En été, le forfait Passion offre 50 % de réduction à partir de la 3ᵉ nuit.

Les réservations peuvent s'effectuer directement sur Internet.

www.bonjourquebec.com/fr – Le site touristique du gouvernement du Québec propose un service de réservation en ligne.

www.tourisme-montreal.org – Centrale de réservation de la région du Grand Montréal.

Pour les chaînes hôtelières

Best Western – www.bestwestern.com ;
Fairmont – www.fairmont.com ;
Hôtel Gouverneur–www.gouverneur.com ;
Hilton – www.hilton.com ;
Holiday Inn – www.holidayinn.com ;
Crowne Plaza – www.crowneplaza.com ;
Radisson – www.radisson.com ;
Ramada Inn – www.ramadainn.com ;
Sheraton – www.sheraton.com.

Pour les gîtes

www.gitescanada.com
www.giteetaubergedupassant.com

**Pour les appartements,
auberges et B&B :**

www.montrealreservation.com
www.hebergementmontreal.com
www.terroiretsaveurs.com
www.ragq.com
www.roomorama.com
www.airbnb.com

Attention, les prix indiqués sur les sites Internet ne tiennent pas compte des taxes habituelles (13,5 %) auxquelles vient s'ajouter une taxe de frais d'hébergement de 3,5 % du montant de la chambre hors taxes, appliquée par nuitée.

👣 *« Taxes », p. 12.*

Nos tarifs correspondent au prix minimal d'une chambre double en haute saison.

👣 *Repérez nos adresses sur le plan détachable grâce aux pastilles numérotées. Les coordonnées en rouge font référence à ce même plan.*

Vieux-Montréal

DE 150 À 250 $

1 **Lhotel** – E6 - *262 r. St-Jacques Ouest* (⊕ *Square-Victoria*) - ☎ *514 985 0019 ou 877 553 0019 - www.lhotelmontreal.com - 58 ch.* Reconnaissable à sa devanture ostensiblement décorée d'œuvres d'art contemporaines, cet hôtel a investi une ancienne banque de type Second Empire en gardant tout son cachet originel. Dans un mélange décoratif de style fin 19e s. et moderne, les chambres, toutes très spacieuses, possèdent de grandes ouvertures vitrées et une belle hauteur sous plafond.

2 **Les Passants du Sans Soucy** – F6 - *171 r. St-Paul Ouest* (⊕ *Place-d'Armes*) - ☎ *514 842 2634 - www.lesanssoucy.com - 9 ch.* Rénovée, cette charmante auberge (1723) vous plonge dans l'atmosphère du Vieux-Montréal : dentelles aux fenêtres, cheminées, parquets, poutres, murs en pierre… Les chambres offrent un grand confort à la fois champêtre et raffiné : meubles anciens et tableaux d'artistes québécois contemporains. Une adresse de charme au service impeccable. Jolie vue sur la basilique Notre-Dame depuis certaines chambres.

DE 250 À 350 $ (ET PLUS)

3 **Hôtel Le Place d'Armes** – F6 - *55 r. St-Jacques Ouest* (⊕ *Place-d'Armes*) - ☎ *514 842 1887 ou 888 450 1887 - www.hotelplacedarmes.com - ✕ ♿ 🅿 - 80 ch. et 53 suites - ☕ 10 $.* Ce luxueux et élégant hôtel-boutique domine, comme son nom le laisse deviner, la place d'Armes. En plus d'un spa et d'un bar lounge, **Suite 701**, il comprend un

restaurant à l'entrée indépendant, **Aix**, dont la carte revisite le terroir *(www. aixcuisine.com - plats à partir de 30 $).*

4 **Hôtel Pierre du Calvet** – F6 - *405 r. Bonsecours* (⊕ *Champ-de-Mars*) - ☎ *514 282 1725 - www.pierreducalvet. ca - ✕ 🅿 - 9 ch. - ☕ inclus.* Cette maison de 3 étages abrite le plus vieil hôtel de la ville. Ses chambres, ornées d'antiquités, exhalent un charme désuet. Le petit-déjeuner est servi dans une serre victorienne tandis que le dîner se tient dans la salle principale, celle du restaurant **Les Filles du Roy** *(table d'hôte 30/45 $).* Accueil de style Bed & Breakfast.

5 **Hôtel Nelligan** – F6 - *106 r. St-Paul Ouest* (⊕ *Place-d'Armes*) - ☎ *514 788 2040 ou 877 788 2040 - www.hotelnelligan.com - ✕ - 44 ch. et 61 suites - ☕ 10 $.* Décoration design, tons chocolat, chaleur de la pierre et de la brique : les chambres de cet hôtel offrent confort et tranquillité. Salle de gym, salon de massage. Deux restaurants : le **Méchant Bœuf** *(www. mechantboeuf.com - 30 $)* et le **Verses** *(www.versesrestaurant.com - plats 15/50 $).*

Centre-ville

DE 250 À 350 $ (ET PLUS)

8 **Fairmont Le Reine Elizabeth** – E6 - *900 bd René-Lévesque Ouest* (⊕ *Bonaventure*) - ☎ *514 861 3511 - www.fairmont.com/Fr/queenelizabeth - ✕ ♿ 🅿 - 940 ch. et 97 suites - ☕ 16 $.* Cet établissement, très prisé des célébrités en tournée, a notamment accueilli John Lennon et Yoko Ono. Chambres spacieuses et club de remise en forme, spa et salon de beauté côtoient un salon de thé et trois restaurants dont le célèbre **Beaver Club** (table d'hôte midi 35 $), réputé pour sa cuisine française.

Centre-ville côté ouest

DE 150 À 250 $

9 **Hôtel Ambrose** – **D6** - *3422 r. Stanley* (🚇 *Peel*) - 🕿 *514 288 6922 ou 888 688 6922 - www.hotelambrose.ca - 21 ch. et 1 suite*. À proximité du musée des Beaux-Arts, ce petit hôtel composé de deux maisons de style victorien accolées est un bon compromis pour les voyageurs à la recherche de tranquillité et d'un placement stratégique dans la ville. Chambres douillettes au décor style ancien rehaussé de touches modernes. Prix très raisonnables pour le quartier.

11 **Château Versailles** – **D7** - *1659 r. Sherbrooke Ouest* (🚇 *Guy-Concordia*) - 🕿 *514 933 3611 ou 888 933 8111 - www.chateauversaillesmontreal.com - 60 ch. et 5 suites - ⊑ inclus*. Composée de quatre maisons victoriennes reliées les unes aux autres, cette pension ancienne séduit pour ses prix, le service et son emplacement (proche du quartier des musées). Les chambres, très spacieuses, dégagent un charme anglais.

Centre-ville côté est

MOINS DE 150 $

6 **Résidences de l'UQAM** – **E6** - *2100 r. St-Urbain* (🚇 *Place-des-Arts*) - 🕿 *514 987 7747 - www.residences-uqam. qc.ca - 495 ch*. Située en bordure de la place des Arts, cette résidence

universitaire pratique des tarifs défiant toute concurrence. Différentes formules, depuis le studio équipé jusqu'aux groupes de 2, 3, 4 ou 8 chambres se partageant cuisine, salle de bains et WC. Le tout fort bien tenu.

DE 150 À 250 $

7 **Hôtel Le Dauphin** – **E6** - *1025 r. de Bleury* (🚇 *Square-Victoria*) - 🕿 *514 788 3888 ou 888 784 3888 - www.hoteldauphin.ca - 72 ch. - ⊑ inclus*. Voisin du Palais des congrès, cet hôtel de 10 étages se trouve à la croisée de trois quartiers : international, chinois, des Spectacles. Chambres confortables et fonctionnelles avec moquette sombre et couettes claires, mobilier contemporain.

Quartier latin

DE 100 À 200 $

12 **Angelica Blue Bed & Breakfast** – **E5** - *1213 r. Ste-Élisabeth* (🚇 *Berri-UQAM*) - 🕿 *514 288 5969 - www.angelicablue. com - 5 ch*. On ne peut plus central et pratique que cette adresse, à deux pas du Quartier des spectacles, des commerces de la rue Ste-Catherine… Jolie bâtisse victorienne, chambres confortables au cachet montréalais (plancher de bois franc et murs de briques), avec petits balcons.

13 **Auberge Le Jardin d'Antoine** – **E5** - *2024 r. St-Denis* (🚇 *Berri-UQAM*) - 🕿 *514 843 4506 ou 800 361 4506 - www.aubergelejardindantoine.com - 19 ch. et 6 suites*. Hôtel de 4 étages situé sur la portion la plus pentue de la rue St-Denis, voisin des nombreux bars et restaurants animés jusqu'à très tard

Lhotel (Vieux-Montréal).

dans la nuit. Chambres élégamment meublées aux tons chauds, briques aux murs et plancher à tous les étages. Petit coin de verdure à l'arrière.

14 Auberge Le Pomerol – E5 - *819 bd de Maisonneuve Est (Ⓜ Berri-UQAM) - ℘ 514 526 5511 ou 800 361 6896 - www.aubergelepomerol.com - 21 ch. et 6 suites - ☕ inclus.* À côté de la gare routière et à proximité de l'animation de la rue St-Denis, cet hôtel propose des chambres de différentes catégories, correctes et agréables. Petit-déjeuner livré dans la chambre et collation à disposition en soirée.

Le Village

DE 150 À 250 $

15 Atmosphère – E4 - *1933 r. Panet (Ⓜ Beaudry) - ℘ 514 510 7976 ou 877 376 7976 - www.atmospherebb.com - 3 ch. - ☕ inclus.* Petite perle proche du parc Lafontaine, ce gîte-auberge « vert » propose 3 chambres d'exception pour leur rapport qualité-prix : tranquillité, décor traditionnel (pierres, moulures, briques, parquet…), grand confort. Petit-déjeuner copieux avec produits du terroir.

Plateau Mont-Royal

MOINS DE 150 $

16 Le Bleu Balcon – D4 - *4420 r. St-Denis (Ⓜ Mont-Royal) - ℘ 514 982 0030 - www.lebleubalcon.com - 7 ch. - ☕ inclus.* À 50 m du carrefour stratégique de la rue St-Denis et de l'avenue du Mont-Royal, ce gîte-auberge bon marché occupe sur 2 étages une maison traditionnelle

du Plateau avec son escalier métallique à l'avant et son balcon à l'arrière sur la ruelle. Chambres à la déco variée, simplement meublées. Accueil familial, petit-déjeuner à la carte.

DE 150 À 250 $

17 Hôtel de l'Institut – E5 - *3535 r. St-Denis (Ⓜ Sherbrooke) - ℘ 514 282 5120 ou 800 361 5111 - www.ithq.qc.ca/hotel - 40 ch. et 2 suites.* Cet hôtel partage les murs et le service avec l'Institut de tourisme et d'hôtellerie du Québec, juste en face du plus bel espace vert de la ville, le carré St-Louis. Chambres aux grands volumes, très design et très claires. Accueil soigné et chaleureux.

18 Anne ma sœur Anne – D5 - *4119 r. St-Denis (Ⓜ Mont-Royal ou Sherbrooke) - ℘ 514 281 3187 ou 877 281 3187 - www.annemasoeuranne.com - 17 ch. - ☕ inclus.* Cette adresse occupe une maison typique du Plateau, à 2 étages avec un escalier d'entrée. Les microcuisines et les lits encastrables transforment chaque chambre en un petit studio. L'ensemble est très fonctionnel. Courette intérieure. Certaines chambres disposent d'une miniterrasse.

19 Auberge de La Fontaine – D4 - *1301 r. Rachel Est (Ⓜ Mont-Royal) - ℘ 514 597 0166 ou 800 597 0597 - www.aubergedelafontaine.com - 18 ch. et 3 suites.* Les hébergements au bord du parc Lafontaine sont très rares et souvent complets. Cette auberge en pierre (début 19e s.), au charme certain, abrite des chambres confortables avec vue sur le lac et les arbres. Une valeur sûre très convoitée. Réservez.

Mile End

MOINS DE 150 $

20 **Casa Bianca** – C5 - 4351 av.
*de l' Esplanade (🕒 Mont-Royal) -
📞 514 312 3837 ou 866 775 4431 -
www.casabianca.ca - 5 ch. - ☕ inclus.
Ce Petit Trianon versaillais de 2 étages*
en plein Montréal contraste fortement
avec le parc hôtelier moderne du
centre-ville. Sa façade en pierre
blanche dissimule des chambres très
calmes, à la déco raffinée (moulures,
parquet…), qui offrent une vue
imprenable sur le parc Jeanne-Mance
et le mont Royal.

Se restaurer

Véritable destination gastronomique,
Montréal recense d'année en année
de plus en plus de chefs québécois
ou internationaux réputés et des
établissements proposant une cuisine
inventive, originale et variée. Autre bonne
surprise, les prix des grandes tables sont
relativement abordables. Ville cosmopolite
par définition, Montréal offre également
tout l'éventail des restaurants de cuisine
étrangère (française, portugaise, italienne,
haïtienne, brésilienne, africaine…),
rendant accessibles les saveurs du monde
à chaque coin de rue.
Si les Québécois cuisinent, en général,
plus à la maison que leurs cousins
canadiens, ils sont tout de même
nombreux à préférer un « lunch » sur
le pouce à midi. Il existe des formules
rapides d'inspiration américaine
(bagels, *smoke meat*, hot-dog, poulet
frit, *fish and chips*), mais aussi propres
au Québec (la chaîne « Belle Province »
sert exclusivement de la poutine ;
« Commensal », spécialisé dans la
restauration flexitarienne, propose des
soupes et des buffets végétariens).

🕒 « *Restauration* », p. 12.
Dans le cadre d'une « table d'hôte »
(soupe, plat, dessert), les tarifs à midi
sont souvent deux fois moins élevés
que ceux du soir. Sachez aussi que,
d'une manière générale, les prix affichés
ne comprennent pas les taxes, services
et boissons. Enfin, n'oubliez pas de vous
acquitter des 15 % de pourboire.
🕒 « *Taxes* », p. 12.
À noter : dans les établissements
estampillés « Apportez votre vin »
(ou BYOW), vous pourrez venir avec
votre bouteille achetée auparavant
moins cher à la SAQ.

Choisir votre restaurant
www.guiderestos.com
www.vivreetmouriramontreal.com
www.montrealplus.ca
Enfin, certains établissements
classés dans « Prendre un verre »
(🕒 p. 36) assurent un service de
restauration.
🕒 *Repérez nos adresses sur le plan
détachable grâce aux pastilles
numérotées. Les coordonnées en rouge
font référence à ce même plan.*

Vieux-Montréal

→**DÉJEUNER**

MOINS DE 20 $

① Olive + gourmando – F6 - 351 r. St-Paul Ouest (Ⓜ Square-Victoria) - ☏ 514 350 1083 - www.oliveetgourmando. com - tlj sf dim.-lun. 8h-18h. Cette boulangerie réinvente la restauration rapide et le salon de thé en proposant sandwichs frais *(10 $)*, soupes et salades, dans un décor coloré. On peut aussi y boire un thé accompagné d'un biscuit *(3 $)* ou de viennoiseries et repartir avec du granola, des confitures ou du pain cuit au levain.

② Europea Espace Boutique – F6 - 33 r. Notre-Dame Ouest (Ⓜ Place-d'Armes) - ☏ 514 844 1572 - www.europea.ca/ boutique - tlj sf w.-end 8h-17h. La boutique du restaurant Europea *(1227 r. de la Montagne)* décline la gourmandise sur tous les plans : macarons, sandwichs, salades et pâtisseries bien dignes du chef Jérôme Ferrer. « Boîtes à lunch » à savourer sur place ou à emporter.

③ Muvbox – F6 - Pl. du Génie, angle des rues de la Commune et McGill (Ⓜ Square-Victoria) - www.muvboxconcept.com - 1ᵉʳ juil.-15 sept. : 11h30-21h. Plantée sur le Vieux-Port, cette roulotte sert de délicieux sandwichs au homard *(10 $)*, des chaudrées de palourdes ainsi que des glaces du célèbre glacier d'Outremont, Le Bilboquet (🚶 p. 34).

④ L'Arrivage – F6 - 350 pl. Royale (Ⓜ Place-d'Armes) - ☏ 514 872 9128 - www.pacmusee.qc.ca - lun. 11h30-14h, mar.-dim. 11h30-16h - table d'hôte

midi à partir de 11 $. Ce restaurant, au deuxième étage du musée d'Archéologie et d'Histoire (🚶 p. 65), sert une cuisine soignée. Vue sur le Vieux-Port.

→**DÎNER**

DE 20 À 45 $

⑤ Stash Café – F6 - 200 r. St-Paul Ouest, à l'angle de la r. St-François-Xavier (Ⓜ Place-d'Armes) - ☏ 514 845 6611 - www.stashcafe.com - table d'hôte à partir de 25 $. Un restaurant polonais fréquenté tant par les Montréalais que par les touristes. Cadre très chaleureux : pierres apparentes, suspentes de lampes rouges au-dessus de chaque table en bois clair. À la carte, plats simples et savoureux : pierogi (raviolis), saucisses et choux farcis, harengs marinés, gâteaux au pavot, aux noisettes ou au fromage.

⑦ Boris Bistro – E6 - 465 r. McGill (Ⓜ Square-Victoria) - ☏ 514 848 9575 - www.borisbistro.com - fermé lun. soir - à partir de 25 $. Un bon plan pour déguster dans un cadre chaleureux une cuisine de bistrot (risotto, boudin aux pommes, salade méditerranéenne…) en toute tranquillité. Les jolies salles aménagées sur deux étages et la charmante terrasse ombragée offrent une vraie pause à l'abri de la foule du Vieux-Montréal touristique. Réservation conseillée.

⑧ Chez L'Épicier – F6 - 311 r. St-Paul Est (Ⓜ Place-d'Armes) - ☏ 514 878 2232 - www.chezlepicier.com - merc.-vend. 11h30-14h, 17h30-22h, sam.-mar. 17h30-22h. Mi-bistrot, mi-bar à vins, cette charmante adresse joue d'originalité puisqu'elle comprend également une épicerie fine. Dans un décor de murs en pierres apparentes, vous pourrez à

Restaurant place des Arts.

MANON

la fois savourer les mets exquis (cuisine inventive) préparés par le grand chef québécois **Laurent Godbout** et observer par la fenêtre le marché Bonsecours tout proche.

DE 45 À 65 $

⑩ **Le Club Chasse et Pêche** – F6 - *423 r. St-Claude (🕒 Champ-de-Mars) - 📞 514 861 1112 - www.leclubchasseetpeche. com - fermé dim.-lun. - midi 45/55 $, soir 60/70 $*. Les tons chocolat et bois de ce restaurant discret créent une ambiance feutrée adaptée à sa carte contemporaine. Ici, salé et sucré se mêlent en d'heureux mélanges. Les plats suivent les saisons et l'inspiration du chef. Jolie terrasse fleurie avec vue sur l'arrière du château Ramezay.

Centre-ville côté ouest

➔DÉJEUNER

MOINS DE 20 $

㉙ **Duc de Lorraine** – A7 - *5002 chemin de la Côte-des-Neiges (🕒 Côte-des-Neiges) - 📞 514 731 4128 - www.ducdelorraine.ca - lun.-jeu. 8h30-18h, vend. 18h30, w.-end 8h30-17h*. Renommé pour la qualité de ses pâtisseries, pains, fromages et charcuteries, cette adresse est aussi un bon endroit pour déguster d'excellents croissants garnis de salé ou autres repas légers (salades, pizzas), dans un salon de thé proche de l'oratoire St-Joseph.

DE 20 À 45 $

⑰ **Crudessence** – D7 - *2157 r. Mackay (🕒 Guy-Concordia ou Peel) - 📞 514 664 5188 - www.crudessence.com - lun.-merc. 11h-21h, jeu.-vend. 11h-22h,*

sam. 10h-22h, dim. 10h-21h - plats à partir de 20 $. On sert ici de la « cuisine vivante, biologique et végétalienne », très en vogue au Québec. À chaque composition savamment orchestrée, tous les aliments craquent sous la dent et les saveurs se dévoilent pour un prodigieux voyage culinaire. Salle à l'entresol, d'une blancheur monacale et d'un agencement design très réussi.

➔DÎNER

DE 20 À 45 $

⑮ **Maison Boulud** – D6 - *1228 r. Sherbrooke Ouest (🕒 Peel) - 📞 514 842 4212 - www.ritzmontreal.com.* Depuis sa réouverture après rénovation, c'est le chef Daniel Boulud qui concocte les menus du restaurant de l'hôtel Ritz-Carlton, où se mêlent saveurs méditerranéennes et produits québécois, en toute simplicité. Dans le cadre du jardin paysager, vous échapperez à l'animation du centre-ville.

⑯ **Le Taj** – D6 - *2077 r. Stanley (🕒 Peel) - 📞 514 845 9015 - www.restaurantletaj.com - dim.-jeu. 11h30-14h30, 17h-22h30, vend. 11h30-14h30, 17h-23h, sam. 17h-23h.* Dépaysement assuré dans cet établissement aux belles décorations murales qui réserve à votre palais les mille et unes subtilités de la cuisine indienne. Menus traditionnels rehaussés de sauces exquises et de curry, viandes braisées au four traditionnel tandoor, un vrai régal !

⑱ **Ferreira Café** – D6 - *1446 r. Peel (🕒 Peel) - 📞 514 848 0988 - www.ferreiracafe.com - lun.-vend. 11h45-15h, 17h30-23h, w.-end dîner* *seult.* En concurrence directe avec les meilleurs restaurants du Plateau Mont-Royal, le Ferreira est sûrement la référence de la cuisine lusitanienne à Montréal. C'est avec plaisir que l'on vient à bout des délicieux gratins de morue séchée, grillades et casseroles de riz aux fruits de mer. Plats très copieux servis dans un cadre élégant et intime.

Centre-ville côté est

→DÉJEUNER

MOINS DE 20 $

11 Cristal No. 1 – E6 - *1068 bd St-Laurent (O St-Laurent) - ℘ 514 875 4275 - 11h-21h - soupes à partir de 7 $.* Avis aux budgets serrés sensibles aux goûts : ce restaurant vietnamien, qui ne paie pas de mine dans le Quartier chinois, est réputé pour sa soupe tonkinoise, un mélange de bouillon, de nouilles de riz et de viande. Simplement savoureux.

→DÎNER

PLUS DE 65 $

14 Toqué ! – E6 - *900 pl. Jean-Paul-Riopelle (O Square-Victoria ou Place-d'Armes) - ℘ 514 499 2084 - www.restaurant-toque.com - tlj sf dim.-lun. 17h30-22h30 - plats à partir de 40 $.* De l'avis de tous, ce restaurant postmoderne est l'un des meilleurs de la ville. Le chef, **Normand Laprise**, y concocte une cuisine française contemporaine à base de produits locaux de toute première fraîcheur. Vous n'êtes pas au bout de vos surprises...

Quartier latin

→DÉJEUNER

MOINS DE 20 $

19 Le Café Cherrier – E5 - *3635 r. St-Denis (O Sherbrooke) - ℘ 514 843 4308 - www.cafecherrier.ca - 7h30-23h, w.-end 8h30-23h - table d'hôte midi à partir de 17 $.* Du petit-déjeuner au dîner, l'établissement propose depuis plus de vingt-cinq ans une cuisine simple et bien réalisée (dite « bistronomique »). En été, sa terrasse est l'endroit idéal pour profiter des belles journées et regarder la foule.

20 Commensal – E5 - *1720 r. St-Denis (O Berri-UQAM) - ℘ 514 845 2627 - www.commensal.com - 11h-22h30.* Un classique de la restauration végétarienne et végétalienne à Montréal, proposant, sous forme de buffet, légumes, tofu, céréales, fruits… Les plats préparés à base de produits frais peuvent se déguster froids ou chauds. Cadre familial, très convivial, sur trois étages. Une nouvelle adresse design a ouvert au 50 r. Ste-Catherine.

Le Village

→DÉJEUNER

DE 20 À 45 $

37 Miyako – F5 - *1439 r. Amherst (O Beaudry) - ℘ 514 521 5329 - 11h30-14h30, 17h30-22h, w.-end 17h30-22h - 20/30 $.* Une des meilleures adresses de la ville pour savourer sushis, makis, gyozas accompagnés d'une bière japonaise. Décoration sobre et reposante, service et accueil hors pair.

31

Pour raison de succès permanent, la réservation est vivement conseillée.

→DÎNER

DE 20 À 45 $

38 Chez ma grosse truie chérie – *E4 - 1801 r. Ontario Est (🕐 Papineau) - ✆ 514 522 8784 - www.chezmagrossetruiecherie.com - tlj sf dim.-lun. 17h30-0h - 16/38 $.* Une drôle d'adresse où le cochon apparaît bien sûr en tête du menu, cuisiné sous toutes les formes. Les produits du terroir utilisés proviennent tous du Québec. Côté décoration, le recyclage a permis de réaliser un intérieur surprenant…

Plateau Mont-Royal

→DÉJEUNER

MOINS DE 20 $

22 Schwartz's – *D5 - 3895 bd St-Laurent (🕐 Mont-Royal ou Sherbrooke) - ✆ 514 842 4813 - www.schwartzsdeli.com - dim.-jeu. 8h-0h30, vend. 8h-1h30, sam. 8h-2h30 - 8/13$.* Ouvert en 1928, ce *delicatessen* est une institution. On y vient ni pour le décor ni pour le service, mais simplement pour déguster les sandwichs à la viande fumée *(smoked meat)* qui ont fait sa renommée.

23 La Banquise – *D4 - 994 r. Rachel Est (🕐 Mont-Royal) - ✆ 514 525 2415 - www.restolabanquise.com - 24h/24 - poutine 6/15 $.* Le temple de la poutine ! Pas moins d'une trentaine de variantes. On peut s'y arrêter à toute heure du jour, mais c'est encore en plein cœur de la nuit qu'on appréciera le plus célèbre plat québécois.

24 Le Sain Bol – *D3 - 5095 r. Fabre (🕐 Laurier) - ✆ 514 524 2292 - 10h-15h - plats à partir de 14 $.* L'exiguïté de l'endroit ne permet pas d'accueillir tous les fervents gourmands désirant goûter l'omelette au chèvre, le saumon bio et autres délices concoctés par le maître des lieux **Fréderic Houtin**. La grande fraîcheur des plats, le dosage parfait des herbes et arômes font de cette nouvelle adresse un incontournable du Plateau. Réservation conseillée pour le brunch de fin de semaine très convoité.

36 Byblos – *D3 - 1499 av. Laurier Est (🕐 Laurier) - ✆ 514 523 9396 - www.bybloslepetitcafe.ca - tlj sf lun. 9h-23h - plats à partir de 13 $.* Avec ses grandes baies vitrées ouvertes en été, ce restaurant de cuisine iranienne embaume l'avenue Laurier de ses délicieuses odeurs d'épices. Si le cumin, la cannelle, la menthe, la muscade se retrouvent dans les plats de viande, on peut aussi dénicher certaines épices à la carte des desserts (exquise glace au safran). Une vingtaine d'années a suffi pour asseoir un vrai succès, file d'attente le dimanche midi.

→PAUSE GOURMANDE

Rhubarbe – *D4 - 5091 r. de Lanaudière (🕐 Laurier) - ✆ 514 903 3395 - www.patisserierhubarbe.com.* Les fins gourmets apprécieront les petits trésors présentés sous la cloche de verre et confirmeront à leurs amis qu'il s'agit bien de pâtisseries de « haut vol ». Tartes au citron, millefeuilles vanille-caramel, scones rhubarbe-fraise… Le clou du spectacle étant la religieuse à l'érable : irré-sis-tible !

Le Bilboquet (Outremont).

le quartier du Plateau : St-Viateur Bagel & Café Mont-Royal *(1127 av. du Mont-Royal Est)*.

31 **Fairmount Bagel** – C4 - *74 av. Fairmount Ouest (🕒 Rosemont ou Laurier) - 🕿 514 272 0667 - www.fairmountbagel.com - 24h/24.* Cette enseigne, fondée en 1919, décline le bagel en une vingtaine de variétés, toutes cuites au four à bois. Les stars demeurent les bagels nature, au pavot ou au sésame. Ils s'agrémentent de crème de fromage, de saumon ou de truite fumée, de beurre et de confiture.

32 **Wilensky's Light Lunch** – C4 - *34 av. Fairmount Ouest (🕒 Laurier) - 🕿 514 271 0247 - fermé w.-end.* Dans un décor qui paraît inchangé depuis 1932, la famille Wilensky perpétue les recettes qui ont fait d'elle une institution du quartier : accueil chaleureux et spécial Wilensky (sandwich au salami maison accompagné de sauce bolognaise ou de moutarde).

33 **Comptoir 21** – B4 - *21 r. St-Viateur Ouest (🕒 Laurier) - 🕿 514 933 7000 - www.comptoir21.com - 11h30-23h, w.-end 12h-23h - plats 5/15 $.* En plein cœur du Mile End, cet établissement redore à lui seul le blason des *fish & chips*.

Calamars délicieux, quelques burgers dont un « végé » et de généreuses crevettes *tempura*.

35 **La Panthère Verte** – B4 - *66 r. St-Viateur Ouest (🕒 Laurier) - 🕿 514 903 7770 - www.lapanthereverte. com - lun.-vend. 11h-20, sam. 11h-17h.* Une nouvelle initiative de cuisine urbaine à base de produits biologiques et locaux. Déco épurée avec de jolies tables et bancs en pin. La clientèle jeune raffole des petits sandwichs falafels accompagnés de salade proposés à un prix défiant toute concurrence.

Petite Italie

→DÉJEUNER

MOINS DE 20 $

34 **Le Pick Up** – A4 - *7032 r. Waverly (🕒 De Castelnau) - 🕿 514 271 9011 - www.depanneurlepickup.com - lun.-vend. 9h-17h, sam. 9h-19h, dim. 10h-18h.* Assez excentré, c'est la pause idéale après une visite au marché Jean-Talon ou une exploration de la Petite Italie. Ce dépanneur atypique prépare les meilleurs sandwichs de Montréal, dont des spécialités végétariennes, ainsi qu'un délicieux *pulled pork* à la viande marinée.

Prendre un verre

Montréal compte de multiples établissements rivalisant d'originalité et d'audace. L'ambiance sera généralement différente selon que vous vous déplacez à l'est du boulevard St-Laurent dans les bars francophones, semblables aux bistrots français, où s'épanouissent de nombreuses terrasses à l'atmosphère méditerranéenne en été, ou bien à l'ouest, côté anglophone, où logent des bars lounge américains, équivalents des pubs anglais, souvent équipés de grands écrans vidéo aux murs et de billards. Les Montréalais aiment sortir prendre un verre et fréquentent beaucoup plus que dans les autres villes canadiennes les établissements de boissons. Le traditionnel « **cinq à sept** » du vendredi a une certaine tendance à s'étendre aux autres jours de la semaine et à se prolonger tard dans la soirée.

Les incontournables lieux de rendez-vous pour une bière demeurent la rue St-Denis (Quartier latin et Plateau) et le boulevard St-Laurent. Suivant l'exemple et le succès du Cheval Blanc (🕭 p. 38), les microbrasseries (🕭 p. 115) ont investi Montréal. En moyenne, le prix des consommations est modéré, comparé aux prix européens. De nouveaux lieux deviennent très prisés ces dernières années : les terrasses design sur les quais du Vieux-Montréal, les cafés du Mile End, les bistrots bobos et les bars à vins du Plateau. Enfin, un scoop pour les amateurs de café : le véritable expresso semble prendre le dessus sur le café « régulier » translucide nord-américain.

De nombreuses adresses proposant du café en grains équitable ont maintenant pignon sur rue.

Vieux-Montréal

Terrasses Bonsecours – F6 - *Quais du Vieux-Port, bassin Bonsecours (🕭 Champ-de-Mars) - 🕿 514 288 9407 - www.terrassesbonsecours.com - mai-oct. : jeu.-dim. 11h-23h.* Pour tous les goûts et les styles, terrasses bar lounge, bistrot ou VIP. Vue panoramique sur le fleuve et la ville, depuis les plates-formes extérieures réparties sur quatre niveaux. Ambiance discothèque à partir de 22h en fin de semaine dans le bar principal.

Buvette des éclusiers d'Apollo – F6 - *400 r. de la Commune Ouest (🕭 Square-Victoria) - 🕿 514 285 0558 - mai-oct. : 11h-23h.* La terrasse de l'ancien Café des Éclusiers demeure un des meilleurs « spots » en ville pour se croire un peu à la campagne le temps d'un verre. Vue imprenable sur les silos à grains et l'écluse du canal de Lachine. Les nouveaux propriétaires ont ajouté un concept de restauration-traiteur en soirée.

Quartier des spectacles

Brasserie T – E6 - *1425 r. Jeanne-Mance (🕭 Place-des-Arts) - 🕿 514 282 0808 - www.brasserie-t.com - à partir de 11h30.* La petite sœur du Toqué !, dans son cube de verre design, est surtout un restaurant, mais on s'y arrête volontiers l'après-midi pour prendre un verre avec

Terrasse de café rue Ste-Catherine Ouest.

36

une vue imprenable sur l'animation de la place des Festivals.

Café du Nouveau Monde – E6 - *84 r. Ste-Catherine Ouest (🕐 Place-des-Arts) - ☎ 514 866 8669 - lun. 11h30-20h, mar.-vend. 11h30-0h, sam. 17h-0h.* Le café du théâtre du même nom (🕐 p. 43) est parfait pour prendre un verre avant ou après le spectacle. Ambiance « arty-intello » et joli choix de vins. C'est aussi un restaurant.

Les Foufounes Électriques – E6 - *87 r. Ste-Catherine Est (🕐 St-Laurent) - ☎ 514 844 5539 - www.foufounes. qc.ca - 16h-3h.* Cette institution depuis 1983 s'est peu à peu transformée. Du centre culturel alternatif underground des origines, il ne reste que les graffitis aux murs, des objets de décoration excentriques et une agréable terrasse toujours bondée en été.

Plateau Lounge – E6 - *901 sq. Victoria (🕐 Square-Victoria) - ☎ 514 395 3100 - www.wunderbarmontreal.com - 16h-3h.* Le bar de l'**Hôtel W** est un véritable salon aux coussins moelleux, à l'atmosphère intimiste dont le décor évoque un sous-bois à l'automne. C'est d'un chic absolu et les cocktails sont réputés pour être les meilleurs de cette partie du Canada.

Quartier latin

Le Cheval Blanc – E5 - *809 r. Ontario Ouest (🕐 Berri-UQAM ou Sherbrooke) - ☎ 514 522 0211 - www.lechevalblanc.ca - à partir de 15h, dim. à partir de 17h.* La microbrasserie artisanale incontournable de Montréal. Ce lieu de référence à l'ambiance plus que

détendue héberge aussi expositions, rencontres et concerts. Impossible de ne pas venir y prendre un verre.

L'Amère à Boire – E5 - *2049 r. St-Denis (🕐 Berri) - ☎ 514 282 7448 - www.amereaboire.com - 14h-3h.* Ce chaleureux bistrot se démarque de ses voisins et confrères du Quartier latin en proposant une vaste gamme de bières microbrassées ; les plus appréciées étant la Cask et L'Amère à Boire d'inspiration anglaise, et l'Elephant d'inspiration tchèque. Petite terrasse très calme à l'arrière permettant de faire une véritable pause à l'abri de la foule de la rue St-Denis. Tapas et burgers en sus.

Le Saint-Sulpice – E5 - *1680 r. St-Denis (🕐 Berri) - ☎ 514 844 9458 - www. lesaintsulpice.ca - 12h-3h.* Occupant les étages d'une jolie bâtisse de style victorien, ce bar ne désemplit jamais. Au choix, deux niveaux de terrasses sur la rue St-Denis effervescente ou alors au calme d'un immense jardin-terrasse de l'autre côté de l'édifice. À l'intérieur, plusieurs salles aux ambiances musicales variées, toutes parées de magnifiques boiseries.

Le Sainte-Élisabeth – E5 - *1412 r. Ste-Elisabeth (🕐 Berri ou St-Laurent) - ☎ 514 286 4302 - www.ste-elisabeth. com - 16h-3h (18h-3h en hiver).* Une adresse bien discrète au coin de la rue Ste-Catherine, à côté des jardins communautaires Jeanne-Mance. Ce « bar européen » réunit, dans une ambiance de pub irlandais survoltée, les étudiants de l'université UQAM. Large choix de bières locales en fût ou importées en bouteilles.

Centre-ville côté ouest

Brutopia – **D7** - 1219 r. Crescent (🚇 Peel ou Guy-Concordia) - 🕿 514 393 9277 - www.brutopia.net - 15h-3h. Trois bars et trois terrasses pour ce bistrot-brasserie rappelant l'atmosphère conviviale des pubs irlandais traditionnels. Petite scène musicale, concert tous les soirs après 20h. Bières artisanales brassées à l'ancienne, sandwichs et amuse-gueules proposés au bar.

Plateau Mont-Royal

Bílý Kůň – **D4** - 354 av. du Mont-Royal Est (🚇 Mont-Royal) - 🕿 514 845 5392 - www.bilykun.com - tlj sf lun. à partir de 15h. Célèbre pour ses cocktails et ses soirées où se succèdent jazz ou classique et sets de DJ déjantés, l'endroit l'est aussi pour son atmosphère feutrée, voire intimiste, en journée. Décor chaleureux : murs de brique, surprenant carrelage hexagonal et lumières tamisées.

Le Barouf – **D4** - 4171 r. St-Denis (🚇 Mont-Royal) - 🕿 514 844 0119 - 14h-3h. Le Barouf est de retour après l'incendie qui l'avait détruit en 2007. Malheureusement, plus de baby-foot au fond de la salle ; à la place, de grands écrans vidéo retransmettent les matchs de foot européen aux grandes occasions. Plus moderne avec ses hauts plafonds et ses grandes baies vitrées donnant sur la rue St-Denis, le Barouf n'a pas pour autant perdu son côté chaleureux. Vous y rencontrerez de nombreux Français à l'heure de l'apéro « pastis »…

Le Plan B – **D4** - 327 av. du Mont-Royal Est (🚇 Mont-Royal) - 🕿 514 845 6060 - www.barplanb.ca - 15h-3h. À première vue, ce bar très design et épuré a toutes les allures d'un établissement huppé réservé à une certaine élite. Que nenni ! Le prix des boissons reste très raisonnable, et la clientèle variée. Ambiance musicale relaxante, un havre de paix sur le Plateau !

Blizzarts – **D5** - 3956 bd St-Laurent (🚇 Mont-Royal ou Sherbrooke) - 🕿 514 843 4860 - www.blizzarts.ca - 21h30-3h. Juste au-dessus du célèbre restaurant Schwartz's (🍴 p. 32), ce bar lounge urbain tout en longueur réunit une clientèle branchée appréciant les sons technos minimalistes, le dub, l'électro… Les DJ n'ont aucune difficulté à remplir le dance floor souvent surpeuplé dès le début de soirée.

Barfly – **D5** - 4062 bd St-Laurent (🚇 Mont-Royal ou Sherbrooke) - 🕿 514 284 6665 - 16h-3h. Ce bar qui semble anodin avec son plancher rouge, ses murs bleus, son billard et son comptoir a vu passer sur sa petite scène musicale de nombreux talents québécois. Les groupes s'y produisent avec un son plutôt rock alternatif ou blues. Bières en fût bon marché.

Mile End

Le Cagibi – **B4** - 5490 bd St-Laurent - 🕿 514 509 1199 - www.lecagibi.ca - lun. 18h-0h, mar.-vend. 9h-1h, sam. 10h30-1h, dim. 10h30-0h. Pour dénicher la perle rare, point de métro, il faut monter à pied ou en bus du centre-ville jusqu'au Mile End, à l'angle de la rue St-Viateur Ouest et du boulevard St-Laurent. Devanture vitrée coiffée de boiseries, déco

éclectique avec de nombreux objets de brocante. Calme et idéal pour lire et savourer un thé matcha l'après-midi, atmosphère festive en soirée avec de petits concerts pop rock confidentiels.
L'Assommoir – B4 - 112 av. Bernard Ouest (🕐 Rosemont) - 🅟 514 272 0777 - www.assommoir.ca - dim.-merc. 11h-1h, jeu.-vend. 11h-3h, sam. 10h-3h. Bar-resto branché, en tête de liste des nouvelles adresses de ce quartier tendance pour son accueil, ses délicieux cocktails et sa convivialité. Cet établissement autorise les jeunes artistes québécois à exposer leurs œuvres.

➔**PAUSE-CAFÉ**
Café Olimpico – B4 - 124 r. St-Viateur Ouest (🕐 Laurier) - 🅟 514 495 0746 - 7h-23h30. On y sert sans doute le meilleur café de Montréal (le quartier

de la Petite Italie est à deux pas). Ambiance simple et branchée. Le *latte* est délicieux.

Petite Italie

Vices & Versa – A4 - 6631 bd St-Laurent (🕐 Beaubien) - 🅟 514 272 2498 - www.vicesetversa.com - lun.-vend. 15h-2h, w.-end 13h-2h. Certains amateurs viennent de très loin pour déguster l'une des 30 bières microbrassées de cette adresse se revendiquant « bistrot du terroir ». Quelques-unes sont brassées sur place, les autres proviennent d'une sélection des meilleures microbrasseries du Québec : la Voie Maltée, la Barberie, les Trois Mousquetaires… La carte propose aussi saucisses, terrines et assiettes de fromages. Les mardis, concerts de groupes traditionnels.

Sortir

Montréal reste mondialement connue comme une mégapole aux activités culturelles débordantes et permanentes. La richesse des offres de spectacles et le nombre important de lieux de sortie obligent le visiteur à opérer méthodiquement un choix selon ses goûts, l'actualité et son temps libre. Bien souvent, les échappées nocturnes se prolongent sans limites dans la nuit : on se laisse guider de quartier en quartier suivant les ambiances rencontrées, on quitte les lieux francophones pour retrouver d'autres lieux anglophones

ou l'inverse. La musique comme l'atmosphère varient d'une rue à l'autre, d'un bloc à l'autre. En résumé, Montréal, ville cosmopolite, baigne dans un bouillonnement festif perpétuel. Comparée aux métropoles étrangères, « icite » (ici), point d'élitisme, nulle gêne à craindre par rapport au code vestimentaire, pas de prix d'entrée excessifs dans les boîtes de nuit (parfois même gratuites) : chacun se trouve sur un pied d'égalité pour se divertir et faire la fête. La jeunesse répète tous les soirs le même scénario qui s'intensifie

Place des Festivals.

M. Sanchez / MICHELIN

40

en fin de semaine. Après un verre entre amis dans un bar (👣 *p. 36*), la soirée se prolonge ensuite par un concert ou une virée dans un nigth-club. Les rues Crescent à l'ouest et Le Village à l'est concentrent l'essentiel des dancings et boîtes de nuit ; les salles de spectacle, elles, sont disséminées autour de la place des Arts, du boulevard St-Laurent et de la rue Ste-Catherine.

Consultez les magazines gratuits *Voir* (francophone – www.voir.ca), *Montréal Scope* (bilingue), *Mirror* et *Hour* (anglophones – www.montreal mirror. ca et www.hour.ca), ainsi que la rubrique « Arts et spectacles » des journaux (numéros de fin de semaine).
👣 *« Presse », p. 10.*

Information et programmation
www.cinemamontreal.com – Films à l'affiche et horaires.

www.montrealplus.ca – Toute l'actualité sur les activités culturelles, sportives et récréatives.

www.montreal-clubs.com – Pour connaître les soirées à Montréal. Application gratuite dans l'Apple Store : **nightlife MTL**.

Centrales de réservation
www.ticketpro.ca
www.admission.com
www.lavitrine.com

Offres de dernière minute
La Vitrine – E6 - *2 r. Ste-Catherine Est -* (🕐 *Place-des-Arts*) - 📞 *514 285 4545 ou 866 924 5538 - mar.-sam. 11h-20h, dim.- lun. 11h-18h.* Ce guichet centralise l'offre culturelle montréalaise et permet la réservation des spectacles, y compris en dernière minute.

Vieux-Montréal

Deux Pierrots – F6 - *104 r. St-Paul Est* (🕐 *Place-d'Armes*) - 📞 *514 861 1270 -* www.2pierrots.com. Cette boîte à chansons est devenue au fil des ans une véritable institution dans le Vieux-Montréal. Idéale pour découvrir la variété québécoise dans une ambiance où règne la bonne humeur.

Centre-ville

Altitude 737 – E6 - *1 pl. Ville-Marie* (🕐 *Square-Victoria ou McGill*) - 📞 *514 397 0737 - www.altitude737.com.* Sans aucun doute le plus bel endroit à Montréal pour prendre un verre et prolonger la soirée en boîte de nuit. L'accès en bas de l'immeuble Ville-Marie est très discret (une simple plaque). Un premier ascenseur, puis un second, vous mènent à la fabuleuse terrasse du 47e étage offrant une vue panoramique (à ciel ouvert à la belle saison) sur toute la ville et le fleuve St-Laurent.

Le Confessionnal – E6 - *431 r. McGill* (🕐 *Square-Victoria*) - 📞 *514 656 1350 -* www.confessionnal.ca. Petit bar lounge tamisé de lumière rouge, typique de l'ouest de la ville de Montréal avec une piste de danse à l'arrière. Clientèle trentenaire venant se défouler et se relaxer après le bureau. Un cinq à sept très couru.

Centre Bell – E7 - *1909 av. des Canadiens-de-Montréal* (🕐 *Lucien-L'Allier*) - 📞 *514 932 2582 - www.centrebell. ca.* Ce grand complexe organise toute l'année différentes manifestations, notamment des concerts de rock.

Quartier des spectacles

Complexe de la place des Arts –
E6 - ◐ *Place-des-Arts - www.pda.
qc.ca.* Il comprend à lui seul cinq salles
polyvalentes, dont deux théâtres et
un prestigieux résident : l'**Opéra de
Montréal** *(salle Wilfrid-Pelletier -
www.operademontreal.com).*
L'Impérial – E6 - *1430 r. de Bleury
(◐ Place-des-Arts) - ℘ 514 848 0300 -
www.cinemaimperial.com.* La plus
ancienne et la plus belle salle de cinéma
de la ville. Le « super-palace » date
de 1917 : marquise en façade, balcon,
moulures, rosettes au plafond, rideau de
scène et sièges rouges confortables dans
la vaste salle de projection.
Théâtre du Nouveau Monde – E6 -
*84 r. Ste-Catherine Ouest (◐ Place-des-
Arts) - ℘ 514 866 8668 - www.tnm.qc.ca.*
La Mecque du théâtre québécois.
Programmation de pièces classiques
faisant aussi la part belle à la création.
L'Astral – E6 - *305 r. Ste-Catherine Ouest
(◐ Place-des-Arts) - ℘ 514 790 1245 -
www.sallelastral.com.* Incontournable
lieu du jazz montréalais, de très grands
artistes s'y produisent. Sets, jam sessions
réputés dans le monde entier.
Club Soda – E6 - *1125 bd St-Laurent
(◐ St-Laurent) - ℘ 514 286 1010 -
www.clubsoda.ca.* Antenne du Festival
international de jazz en été, cabaret et
salle de spectacle le reste de l'année.
L'ancien Crystal Palace doit son succès
à la venue des plus grandes stars de la
musique internationale. Le chanteur
québécois Richard Desjardins y fit un
concert mémorable en 1993, resté dans
le cœur de tous les Québécois.

Métropolis – E5 - *59 r. Ste-Catherine Est
(◐ St-Laurent) - ℘ 514 844 3500 -
www.montrealmetropolis.ca.* Voué
au patinage artistique au 19e s., le
bâtiment accueille désormais une des
plus grandes salles de concert en ville.
C'est ici que des groupes québécois
mondialement connus (Bran Van 3000,
Les Cowboys fringants…) prirent leurs
marques. Scène musicale habituelle
aussi pour tous les chanteurs français de
passage dans la belle province.

Plateau Mont-Royal

Casa del Popolo (C4 - *4873 bd St-
Laurent (◐ Laurier) - ℘ 514 284 3804 -
www.casadelpopolo.com)* et sa grande
sœur **Sala Rosa** *(4848 bd St-Laurent -
℘ 514 284 0122)* sont les temples de la
musique indépendante.
Divan Orange – D5 - *4234 bd St-Laurent
(◐ St-Laurent) - ℘ 514 840 9090 - www.
divanorange.org.* Goût prononcé pour
l'électro et les musiques émergentes.
L'Excentris – E5 - *3536 bd St-Laurent
(◐ St-Laurent) - ℘ 514 847 2206 -
www.cinemaexcentris.com.* Ce cinéma
moderne a repris le flambeau de la
programmation des films de répertoire
depuis 2011. Sélection d'œuvres
québécoises et françaises. Il accueille le
Festival du nouveau cinéma de Montréal
chaque année.

Mile End

Cabaret du Mile End – B5 - *5240 av.
du Parc (bus 80 depuis ◐ Place-des-
Arts) - ℘ 514 563 1395 - www.lemileend.
org.* Gérée sous forme de coopérative
solidaire, cette salle de spectacle de

musique du monde accueille des artistes locaux, mais aussi beaucoup d'artistes africains, des Caraïbes et d'Amérique du Sud. Ce lieu héberge chaque année en juillet le festival Nuits d'Afrique.

Le Village

Club Unity – F5 - *1171 r. Ste-Catherine Est (🕒 Beaudry) - 📞 514 523 2377 -*

www.clubunitymontreal.com. Immense discothèque uniquement ouverte en fin de semaine *(vend.-sam.).* Une ambiance survoltée sur les pistes de danse et un certain romantisme en été sur la magnifique terrasse sur le toit. Dès la fin de l'année universitaire, de nombreux jeunes de la ville se pressent dans cet endroit *gay-friendly.*

Shopping

Le « magasinage » n'a pas encore détrôné le hockey comme sport national, mais c'est un fait, les boutiques de la rue Ste-Catherine Ouest, les commerces de la ville souterraine, les échoppes du Vieux-Montréal, les boutiques d'art ou de design du boulevard St-Laurent, les friperies de l'avenue du Mont-Royal, les adresses de mode de la rue St Denis, les gros centres d'achat comme Eaton ou La Baie ne désemplissent pas !

Ne dénigrez surtout pas la mode québécoise sans la connaître. Des stylistes comme Yso, Travis Taddeo, Marie Saint Pierre, Nadya Toto… sont reconnus dans le monde entier. Et autre surprise, de nombreuses enseignes proposent des vêtements griffés à petits prix.

Mais avant de partir faire la tournée des boutiques, ciblez les commerces convoités car Montréal est une ville très étendue où chaque quartier a ses spécialités. **Vieux-Montréal** :

galeries, boutiques-cadeaux ; **rues Ste-Catherine**, **Sherbrooke**, **Peel**, **Crescent** et **de la Montagne** : habillement, informatique, antiquaires, galeries – certaines boutiques donnent accès à la ville souterraine *(🕒 ci-après)* ; **rue St-Denis** : mode, studios d'art ; **boulevard St-Laurent** : épiceries « ethniques », boutiques branchées ; **avenue Laurier Est** (entre le parc Laurier et l'avenue Papineau) : commerces de bouche ; **Mile End** : fripes, design, antiquités branchées ; **avenue du Mont-Royal** : friperies, librairies, disques et DVD d'occasion ; **rue Notre-Dame Ouest** (entre la rue Guy et l'avenue Atwater) : brocanteurs, antiquaires.
🕒 *« Horaires »*, p. 9.

La ville souterraine

Elle rassemble un grand nombre de centres commerciaux reliés par le métro. En voici quelques-uns dans le centre-ville.
Complexe Desjardins – *170 r. Ste-Catherine Ouest (🕒 Place-des-Arts ou Place-d'Armes).*

Eaton Centre – *705 r. Ste-Catherine Ouest* (🚇 *McGill*).
La Baie – *585 r. Ste-Catherine Ouest* (🚇 *McGill*).
Place Montréal-Trust – *1500 av. McGill College* (🚇 *McGill ou Peel*).
Place Ville-Marie – *1 pl. Ville-Marie* (🚇 *Bonaventure ou McGill*).
Promenades Cathédrale – *625 r. Ste-Catherine Ouest* (🚇 *McGill*).

Soldes

Ils sont répartis entre l'hiver et l'été : du 15 décembre au 15 janvier et du 15 au 30 juin.

Tailles et pointures

Rapport de taille pour les vêtements : P/S (petit/small), M (moyen/medium), G/L (grand/large), TG/XL (très grand/extra large). Indications de pointures pour les chaussures hommes : 42/8$^{1/2}$ et femmes : 39/8.

Vieux-Montréal

ÉPICERIE FINE

Marché du Vieux – **F6** - *217 bd St-Laurent* (🚇 *Champ-de-Mars*) - ☎ *514 393 2772* - *www.marcheduvieux.ca*. Un café doublé d'un bistrot, mais surtout une épicerie fine où l'on trouvera les meilleurs produits du terroir québécois (fromages, viandes fumées, produits de l'érable).

MODE

Delano Design – **F6** - *70 r. St-Paul* (🚇 *Champ-de-Mars ou Square-Victoria*) - ☎ *514 286 5005* - *www.delanodesign.com*. Envie de découvrir les dernières collections de prêt-à-porter pour femmes des designers montréalais, cette boutique urbaine, mêlant mode et art, est la vôtre. Vêtements et accessoires sont mis en valeur sur de grandes suspentes ou rayonnages au-dessus d'un plancher de bois franc. Sur les murs en brique, les toiles contemporaines du peintre Yunus Chkirate.

ARTISANAT

L'Empreinte Coopérative – **F6** - *272 r. St-Paul* (🚇 *Champ-de-Mars*) - ☎ *514 861 4427* - *www.lempreintecoop.com*. Cette coopérative, créée en 1974, réunit pas moins de 60 artisans et créateurs québécois. Dans un vaste espace luxueux, les créations artistiques originales sont rangées par thèmes sur des étagères de verre : céramique, cuir, bois, papier, textile…

JOUETS

Univers Toutou – **F6** - *503 pl. d'Armes* (🚇 *Place-d'Armes*) - ☎ *514 288 2599* - *www.universtoutou.com*. Voici la boutique rêvée pour offrir un bien beau cadeau à votre progéniture. Un concept très original : « l'enfant met au monde son toutou en y insérant son âme ». Confection de peluches personnalisées : vaste choix de modèles, rembourrages, habits, tissus, couleurs…

LIVRES

Librissime – **F6** - *62 r. St-Paul* (🚇 *Place-d'Armes*) - ☎ *514 841 0123* - *www.librissime.com*. Classés méthodiquement par maisons d'édition, des livres rares par centaines ! Atmosphère de bibliothèque luxueuse, réchauffée par les nombreux ouvrages reliés en cuir, le somptueux parquet et les rayonnages en bois.

45

Centre-ville

MODE

Holt Renfrew – *D7* - *1300 r. Sherbrooke Ouest* (⏻ *Peel*) - ✆ *514 842 5111* - *www.holtrenfrew.com.* Grand magasin typiquement montréalais très chic, l'équivalent en plus moderne du Bon Marché à Paris. Grandes marques de luxe internationales et choix intéressant de designers canadiens. Collections hommes et femmes.

Quartier latin

MODE

Lola et Emily – *E5* - *3475 bd St-Laurent* (⏻ *St-Laurent*) - ✆ *514 288 7598* - *www.lolaandemily.com.* Collection de vêtements pour femmes très tendance, sur fond de concept d'appartement-boutique. Accessoires et produits de beauté de grandes marques.

CHAPEAUX

Henri Henri – *E5* - *189 r. Ste-Catherine* (⏻ *St-Laurent*) - ✆ *514 288 0109.* Boutique ouverte depuis 1932, sa devanture à l'ancienne n'a pas pris une ride. Derrière la vitrine : borsalinos, panamas, chapeaux melon, casquettes… de toute beauté.

Le Village

ÉQUIPEMENTS PLEIN AIR

La Cordée – *F4* - *2159 r. Ste-Catherine* (⏻ *Papineau*) - ✆ *514 524 1106* - *www.lacordee.com.* Un éventail presque complet des produits destinés aux activités de plein air. Pour s'équiper une fois arrivé sur place ou pour ramener des vêtements et du matériel de qualité pour vos futures randonnées.

Mile End

BANDES DESSINÉES

Drawn & Quarterly – *B4* - *211 av. Bernard Ouest* (⏻ *Rosemont*) - ✆ *514 279 2224* - *www.drawnandquarterly.com* - *lun.-mar. 11h-18h, merc. et dim. 11h-19h, jeu.-sam. 11h-21h.* Le temple de la bande dessinée alternative. Vous trouverez ici ce qui se fait de mieux et de plus avant-gardiste dans le riche domaine de l'illustration et du roman graphique. Les auteurs québécois les plus influents y sont représentés.

GALERIE-BROCANTE

Monastiraki – *B4* - *5478 bd St-Laurent* (⏻ *Rosemont ou Laurier*) - ✆ *514 278 4879* - *www.monastiraki. blogspot.com* - *merc. 12h-18h, jeu.-vend. 12h-20h, w.-end 12h-17h.* Ce magasin atypique est spécialisé dans le papier sous toutes ses formes : magazines et papiers anciens chinés pour leur intérêt graphique, posters sérigraphiés, livres et fanzines autoédités.

ÉQUIPEMENTS PLEIN AIR

Le Yéti – *C4* - *5190 bd St-Laurent* (⏻ *Laurier*) - ✆ *514 271 0773* - *www.leyeti.ca.* Un spécialiste de l'équipement de randonnée avec un très grand choix de chaussures de marche. Si vous cherchez une belle sacoche pratique à ramener en France, il n'y a pas mieux que les sacoches « Cocotte » fabriquées à Montréal en Cordura et utilisées par les coursiers à vélo du monde entier pour leur robustesse.

Épicerie Marché du Vieux (Vieux-Montréal).

Plateau Mont-Royal

VÊTEMENTS DE PLEIN AIR

Atelier-magasin Kanuk – E4 - *2485 r. Rachel Est (🚇 Mont-Royal) - ☎ 514 284 4494 - www.kanuk.com.* Spécialisé dans le vêtement de plein air, Kanuk est célèbre pour ses manteaux d'hiver, chauds, élégants et très résistants. Chaque Québécois, dit-on, possède le sien. Indispensable en tout cas si vous visitez le Québec en hiver.

CHAUSSURES

John Fluevog – D5 - *3857 r. St-Denis (🚇 Sherbrooke ou Mont-Royal) - ☎ 514 509 1627 - www.fluevog.com.* Des chaussures 100 % canadiennes, pour hommes et femmes, originales et chics à la fois. Comptez de 150 à 250 $ la paire !

ARTISANAT

Dix Mille Villages – D4 - *4128 r. St-Denis (🚇 Mont-Royal) - ☎ 514 848 0538 - www.dixmillevillages.ca.* Produits issus du commerce équitable : jouets, bijoux, paniers, accessoires, tasses… Les villages d'artisans sont répartis entre le Mexique, l'Amérique du Sud, l'Afrique, l'Asie et l'Océanie.

DESIGN

Interversion – D5 - *4273 bd St-Laurent (🚇 Sherbrooke ou St-Laurent) - ☎ 514 284 2103 - www.interversion.com.* À défaut de pouvoir ramener dans vos bagages ces magnifiques meubles en bois contemporains, œuvres de créateurs québécois, vous vous contenterez d'une lampe ou d'un objet et du plaisir des yeux au long de cette boutique de 3 étages !

JOUETS

La Grande Ourse – D5 - *263 av. Duluth (🚇 Sherbrooke) - ☎ 514 847 1207.* Fabriqués à la main par des artisans québécois, jouets en fibres naturelles (bois, laine…) ludiques et insolites.

BANDES DESSINÉES

Débédé – D5 - *3882 r. St-Denis (🚇 Mont-Royal) - ☎ 514 499 8477.* Depuis 1987, cette librairie spécialisée a pignon sur rue. Paradis pour passionnés, elle offre un large choix de bandes dessinées neuves et d'occasion. Figurines et affiches en sus.

CHOCOLATS

La Maison Cakao – D4 - *5090 r. Fabre (🚇 Laurier) - ☎ 514 598 2462.* Les gourmandises préparées par Édith connaissent un franc succès depuis treize ans ! La boutique parvient, malgré son exiguïté, à satisfaire tous les amateurs avertis. Ganaches, pralines, truffes… sont élaborées à partir d'un chocolat noir à 64 %.

BOULANGERIE

Première Moisson – D4 - *860 av. du Mont-Royal Est (🚇 Mont-Royal) - ☎ 514 523 2751 - www.premieremoisson. com.* Nombreux sont les Français du Plateau qui viennent chercher leur baguette traditionnelle de qualité à l'angle de la rue St-André et de l'avenue du Mont-Royal. Boulangerie, viennoiseries, pâtisseries, mais aussi épicerie fine et traiteur.

GOURMANDISES

Au Festin de Babette – D5 - *4085 r. St-Denis (🚇 Mont-Royal) - ☎ 514 849 0214 - www.aufestindebabette.com.* À la

48

fois salon de thé, pâtisserie, chocolaterie et épicerie fine. Petite terrasse agréable en été pour savourer un « Babette » (gingembre, cannelle, cardamome) avec un véritable expresso.

FROMAGES

Maître Corbeau – D3 - *1375 av. Laurier Est (🕐 Laurier) - 🖉 514 528 3293.* « Maître Corbeau tient en son bec » pas moins de 200 fromages, dont la moitié de français. Il vous reste donc une seconde moitié pour découvrir le large éventail de fromages québécois : Migneron de Charlevoix, Riopelle, Mamirolle, Pied-de-vent…

ÉPICERIE

Rachelle Béry – D4 - *505 r. Rachel (🕐 Sherbrooke) - 🖉 514 524 0725 - www.rachelle-bery.com.* D'autres antennes existent maintenant dans le reste de la ville, mais il s'agit là de la première véritable boutique bio ouverte en 1984, achalandée de produits uniquement naturels et sans pesticides.

Petite Italie

MARCHÉ

Jean-Talon – A3 - *7070 r. Henri-Julien (🕐 Jean-Talon) - à partir de 8h.* En été, le nombre d'étals donne le vertige : fruits et légumes, vins et boissons, boulangeries, boucheries, poissonneries, fromageries… on y trouve de tout ! Bars et restaurants aux alentours.

Pôle des Rapides

MARCHÉ

Atwater – D8 - *138 av. Atwater (🕐 Lionel-Groulx) - à partir de 8h.* Grand marché célèbre pour sa halle Art déco. Épiceries fines et restauration rapide.

Place des Arts (Quartier des spectacles).

50

PLACE
DES
ARTS

M. Sanchez / MICHELIN

Visiter Montréal

51

Montréal aujourd'hui

Un témoignage du passé et tout un symbole : la chapelle **Notre-Dame-de-Bon-Secours**, face au port, offre sa protection aux navigateurs. C'est la plus vieille église de la ville, bâtie sur les ruines d'une chapelle plus ancienne encore. Le poète et compositeur Leonard Cohen, natif de Montréal, l'évoque dans sa chanson *Suzanne* où Jésus apparaît sous les traits d'un marin. Au sommet de son belvédère, la statue de la Vierge, bras ouverts vers le fleuve St-Laurent, accueillait jadis les migrants. Elle domine tout le **Vieux-Montréal**, secteur qui regroupe les plus anciennes maisons de la ville. Le berceau de la métropole québécoise est resté fidèle à ses nostalgiques calèches, à ses rues pavées éclairées de réverbères au gaz et à sa basilique bleutée, où Céline Dion convola au bras de René.

C'est ici, au creux d'une île en aval des **rapides de Lachine**, que débarquèrent, en 1642, les fondateurs de la ville, Paul de Maisonneuve et ses compagnons de la Société Notre-Dame, venus évangéliser les « sauvages » de la Nouvelle-France et dresser une forteresse de la foi, **Ville-Marie**. À partir de ce noyau, au pied de la verte « montagne » (233 m) du **mont Royal** qui lui a donné son nom, la ville s'est peu à peu étendue. À l'ouest, le **centre-ville** animé avec ses tours de verre et d'acier ; les quartiers anglophones chics de **Westmount** et de la **rue Sherbrooke**, avec leurs élégantes villas victoriennes. À l'est, les secteurs plus francophones du

Quartier latin et du **Village**, quartier gay célèbre pour ses bars festifs et ses clubs after. Une vision qui aurait sans doute fait s'étrangler d'indignation les pieux colons français !

À vrai dire, hormis le Vieux-Montréal, que pourraient-ils reconnaître aujourd'hui de cette vaste Babel urbaine peuplée de 3,5 millions d'habitants ? Sa physionomie se plie à tous les standards habituels d'une agglomération nord-américaine : étalement interminable de mornes banlieues, flot automobile saturant des autoroutes qui transpercent un centre en damier, dominé par un *skyline* (horizon) de gratte-ciel…

Car si Montréal séduit, ce n'est pas tant par son patrimoine local que par son ambiance unique, son art de vivre et son épicurisme, entre parfums de la vieille Europe, exotisme de l'Asie et Amérique avant-gardiste. C'est une ville chaleureuse, tolérante, attachante, où tout se tutoie. Une ville à vivre, à écouter, à respirer. Une ville francophone, offrant une version de l'Amérique plus accessible et plus douce. Mais une francophonie inscrite dans un cosmopolitisme aux multiples visages (chinois, portugais, grec, slave, italien), formant une véritable « courtepointe » (mosaïque) de nationalités.

Axe majeur de la métropole, le **boulevard St-Laurent**, aussi appelé « la Main », qui traverse l'île de Montréal de part en part, constitue le lieu de convergence pour les communautés

52

d'immigrés, à commencer par le **Quartier chinois** en bas. Épiceries, ateliers d'artisans, boulangeries, charcuteries et restaurants y murmurent encore mille histoires venues de Canton, de Cracovie, de Lisbonne ou de Milan. Des générations durant, la Main fut une ligne de partage symbolique : on parlait anglais à l'ouest, français à l'est. Aujourd'hui, les divisions se sont atténuées, la frontière est plus floue : dans nombre de quartiers, francophones et anglophones s'entremêlent.

Ainsi, sur le **Plateau Mont-Royal**, l'ancien quartier ouvrier aux ruelles champêtres si bien décrit par l'écrivain Michel Tremblay, les communautés juive hassidique, grecque, française, polonaise, portugaise, sud-américaine, les vieux immigrés et les primo-arrivants cohabitent dans une atmosphère bon enfant. Contrairement à New York, le cosmopolitisme n'a pas le visage des quartiers ghettos, mais celui d'un melting-pot efficace, d'un heureux et fécond creuset des cultures. Dans le prolongement du Plateau et de sa branchitude de plus en plus chic, le **Mile End** déborde d'énergie créatrice. Artistique et bohème, il évoque l'esprit pionnier et alternatif du Village new-yorkais des années 1960, poussant la ressemblance jusqu'à avoir lui aussi une **Petite Italie** comme voisine.

L'effervescence culturelle converge dans le nouveau **Quartier des spectacles**, où se déroulent les nombreux festivals, à commencer par l'incontournable Festival international de jazz.

Entre le **mont Royal** et ses chemins forestiers, le **Parc olympique**, les pistes cyclables du **canal de Lachine**, les parcs des **îles Ste-Hélène** et **Notre-Dame**, la nature est omniprésente. L'hiver, quand Montréal se couvre de son blanc manteau, les amateurs de patin, de ski de fond, de luge et de hockey sur glace sont à la fête. Aux plus frileux, la **ville souterraine** offre ses dizaines de kilomètres de couloirs, permettant de passer du métro aux tours de bureaux en flânant parmi les boutiques. Baptisée RESO, cette incroyable ville intérieure est le plus grand complexe souterrain au monde. En mai, quand la neige a disparu, le vélo redevient roi, notamment pour aller au travail. Dès les premiers rayons, les terrasses de la **rue St-Denis** se remplissent d'une faune hétéroclite, heureuse de pouvoir se faire « griller la couenne au soleil ». **Rue Ste-Catherine**, les trottoirs bourdonnent de « magasineurs » en quête des dernières tendances mode. Dans la douceur du soir, les Montréalais aiment aussi partager des barbecues entre voisins dans leurs jardinets d'arrière-cour.

Dans le parc du Mont-Royal, les dimanches d'été, les tam-tams résonnent au pied de la statue de George-Étienne Cartier. On y vient de partout pour en jouer, danser ou juste profiter de la vie. Sur le socle du monument, une inscription : « Le Canada doit être un pays de liberté. » Tolérante et bigarrée, la métropole québécoise a su faire sienne cette devise.

53

Vieux-Montréal★★★

On appelle ainsi le secteur de la ville autrefois entouré de fortifications construites au début du 18e s. et démolies un siècle plus tard. Ce quartier, délimité par la rue McGill à l'ouest, la rue Berri à l'est, la rue de la Commune au sud et la rue St-Jacques au nord, séduit toujours autant avec ses rues pavées étroites, ses églises et ses maisons en pierre au bord du St-Laurent. La réhabilitation opérée depuis les années 1980 offre un fidèle visage de l'ancienne cité portuaire des empires coloniaux français et anglais.

→**Accès :** ⏾ Square-Victoria, Place-d'Armes ou Champs-de-Mars. Plan détachable EF5-7. Plan détaillé du Vieux-Montréal p. 69.

→**Conseil :** des calèches partent de la rue Notre-Dame, de la place d'Armes, de la rue de la Commune et de la place Jacques-Cartier. Sachant que le Vieux-Montréal est un des sites les plus touristiques d'Amérique du Nord, préférez les heures matinales ou les soirées pour les visites. De plus, la nuit tombée, le « plan lumière » donne du relief aux édifices. Enfin, en été, les amateurs de bronzage et de farniente les pieds dans le sable apprécieront « Montréal-Plage », quai de l'Horloge…

Place d'Armes★ F6

⏾ *Place-d'Armes.* Lorsqu'il fut nommé supérieur des sulpiciens en 1670, **Dollier de Casson** établit le plan de la ville de Montréal. Il fixa le tracé des nouvelles rues au nord de la rue St-Paul et dessina une grande place au centre de laquelle il projetait la construction de la basilique Notre-Dame. La place d'Armes, ainsi nommée depuis 1723, servait de terrain de manœuvres pour les troupes qui venaient présenter les armes au souverain ou à son représentant, en l'occurrence les Messieurs de St-Sulpice, seigneurs de l'île de Montréal. Au centre de la place, un **monument**★ est dédié à la mémoire de Paul de Chomedey, **sieur de Maisonneuve** et fondateur de Montréal (1612-1676). Cette œuvre de Louis-Philippe Hébert fut réalisée pour le 250e anniversaire de la ville, en 1892.

La place d'Armes est aujourd'hui entourée d'immeubles prestigieux, érigés pour la plupart par de grandes banques et des sociétés commerciales de renom.

Édifice New York Life Insurance – *Au n° 511.* Pastiche des styles roman et Renaissance, ce bâtiment de grès rouge (1888) fut, avec ses huit étages, le premier « gratte-ciel » de la ville.

Édifice Aldred – *Au n° 507.* La forme et l'ornementation de ce gratte-ciel Art déco (1930) s'inspirent du Rockefeller Center de New York, qui était alors en construction.

Banque de Montréal★ EF6

119 r. St-Jacques - 9h-17h - fermé w.-end. La principale succursale de la plus vieille banque du Canada occupe un bâtiment dont l'imposante façade, semblable au Panthéon de Rome, domine le côté nord

Place d'Armes et Banque royale du Canada.

54

de la place d'Armes. Avec le marché Bonsecours (🔆 *p. 62*), c'est l'un des édifices néoclassiques les plus achevés de Montréal. Il fut bâti en 1847. Son intérieur, redécoré en 1905, s'ouvre sur un hall d'entrée situé sous le dôme ; d'énormes colonnes de granit vert mènent à une imposante salle bancaire au beau plafond à caissons.

Musée – *À gauche de l'entrée, traversez les portes à tambour -* 🔆 *514 877 6810 - 10h-16h - fermé w.-end et j. fériés - gratuit.* Il abrite une exposition sur le patrimoine historique de la banque, ainsi qu'une collection de billets et d'amusantes tirelires mécaniques.

Rue Saint-Jacques★ DF6-8

Cette importante artère fut baptisée par Dollier de Casson en 1672, en l'honneur de Jean-Jacques Olier, fondateur de l'ordre de St-Sulpice (🔆 *encadré ci-contre*). Centre financier du Canada jusque dans les années 1970, elle a conservé de beaux bâtiments commerciaux de la fin du 19ᵉ s. et du début du 20ᵉ s. qui lui confèrent une remarquable unité architecturale.

L'**édifice Canada Life Assurance** (*n° 275*) est le premier gratte-ciel montréalais à la charpente d'acier (1895). La **Banque de commerce impériale du Canada** (*n° 265 - 9h30-16h - fermé w.-end - gratuit*), dont la façade est ornée de colonnes corinthiennes, renferme une salle bancaire monumentale. Au-delà de la Banque royale du Canada (🔆 *ci-après*), s'élève la **tour de la Bourse★** (*800 pl. Victoria - www.tourdelabourse.com*). Construite en

1964, cette structure de 47 étages abrite la Bourse de Montréal.

Le quartier déclina lorsque les principales institutions financières transférèrent leur siège social dans le centre-ville de Montréal ou à Toronto. Depuis les années 1990, la rue connaît un renouveau : des bâtiments modernes vitrés ont pris place et les anciens édifices ont été convertis en logements. Les immenses appartements sont parmi les plus recherchés et onéreux de la ville.

Banque Royale★ E6

360 r. St-Jacques - 🔆 *514 874 2959 - ♿ - 10h-16h - fermé w.-end et j. fériés - gratuit.* Il s'agit du premier édifice (1928) élevé après la modification de la réglementation de zonage de 1924. Inspirée du modèle new-yorkais, celle-ci définissait la hauteur et le volume des bâtiments par rapport à la largeur des rues, de manière à éviter que celles-ci ne deviennent trop obscures. Elle autorisait les constructions de plus de dix étages, à condition que les niveaux supérieurs soient bâtis en décrochement. Avec ses 20 étages, l'édifice de la Banque Royale était, à l'époque de sa construction, l'immeuble le plus élevé de tout l'Empire britannique. Il est resté le siège social de la banque jusqu'à l'ouverture de la tour de la Banque royale du Canada, place Ville-Marie (🔆 *p. 74*).

Les portails de bronze s'ouvrent sur un vaste vestibule orné d'un plafond voûté à caissons richement décorés de motifs floraux aux couleurs bleu, rose et or. Un escalier de marbre mène à l'immense salle bancaire de 45 m de long, 14 m de large et 14 m de haut.

DHC/ART - Fondation pour l'art contemporain F6

451 et 465 r. St-Jean - ☎ 514 849 3742 - www.dhc-art.org - merc.-vend. 12h-19h, w.-end 11h-18h - gratuit.

Inauguré en 2007, cet espace a pour objectif la promotion des arts visuels. Photographies, montages vidéo, films invitent le visiteur à entrer dans l'univers des artistes. Les expositions peuvent être thématiques, rétrospectives ou laissées au choix de l'exposant.

Basilique Notre-Dame★★★ F6

110 r. Notre-Dame Ouest - ☎ 514 842 2925 - www.basiliquenddm.org - ♿ - lun.-vend. 8h-16h30, sam. 8h-16h, dim. 12h30-16h - 5 $.

Seigneurs de l'île de Montréal, les **sulpiciens** s'opposèrent longtemps au morcellement de leur territoire au profit d'églises paroissiales relevant de l'évêque de Québec. De peur de voir s'amenuiser leur puissance, ils décidèrent d'édifier ce monument assez grand pour réunir tous leurs fidèles dans une seule église (elle peut contenir quelque 3 500 personnes). Malgré leurs efforts, le diocèse de Montréal fut établi en 1830, et l'île découpée en plusieurs paroisses.

Première église néogothique du Québec et premier édifice important réalisé en pierre de taille à Montréal, Notre-Dame fut construite selon les plans de **James O'Donnell** (1774-1830), architecte irlandais établi à New York. Converti au catholicisme, O'Donnell fut inhumé dans la crypte.

En 1843, l'architecte **John Ostell** acheva les **tours jumelles** d'après les plans d'origine. Elles s'élèvent à plus de 69 m à l'angle sud de la place d'Armes. La tour ouest abrite « Jean-Baptiste », célèbre bourdon de 10 900 kg (fondu à Londres), utilisé pour les grandes occasions.

Intérieur – L'église est organisée en une nef et deux bas-côtés, chacun doté de deux étages de galeries. L'architecte **Victor Bourgeau** a réaménagé l'intérieur et enrichi le décor entre 1872 et 1880, dans la tradition de l'Église catholique du Québec : abondance

LA COMPAGNIE DE SAINT-SULPICE

*Cet ordre, fondé en 1641 à Paris par l'abbé **Jean-Jacques Olier**, vint établir un séminaire à Montréal en 1657. En 1663, la Compagnie de St-Sulpice achetait à la Société Notre-Dame la mission de Ville-Marie, ses titres de propriété et son pouvoir seigneurial. En leur qualité de seigneurs de l'île, les sulpiciens jouissaient d'une grande autorité sur la population ; c'est ainsi qu'ils construisirent la basilique Notre-Dame. Le séminaire fit aussi office de centre administratif pour Ville-Marie. De nos jours, il sert encore de résidence aux sulpiciens.*

de sculptures, boiseries et dorures. Le maître-autel et son **retable** ont été dessinés par Victor Bourgeau et sculptés par Henri Bouriché. Les **vitraux** de la partie basse illustrent des scènes de l'histoire de Montréal ; dessinés par Jean-Baptiste Lagacé et exécutés par la maison Chigot de Limoges, en France, ils furent commandés en 1929, à l'occasion du centenaire de l'église. L'**orgue** monumental (1887) est l'œuvre des frères Casavant de St-Hyacinthe. Il compte 6 800 tuyaux, 84 jeux disposés sur quatre claviers et un pédalier.
Chapelle Notre-Dame-du-Sacré-Cœur – *Entrée derrière le chœur.* En 1891, une chapelle destinée à la célébration des mariages et aux cérémonies qui réclamaient moins de faste fut ajoutée à l'église. Ravagée par un incendie en 1978, elle fut rouverte en 1982. La profusion de ses ornements comprend des éléments de l'ancienne chapelle.

Vieux Séminaire de Saint-Sulpice★ F6

130 r. Notre-Dame Ouest.
Ce bâtiment de pierre qui jouxte Notre-Dame est le plus ancien de Montréal. Il fut construit en 1685 à la demande de François **Dollier de Casson** (1636-1701), supérieur des Messieurs de St-Sulpice et premier historien de la ville, pour servir de résidence et de centre de formation aux membres de la congrégation.
À l'image de nombreux autres édifices de Montréal, l'architecture du séminaire présente certaines caractéristiques du classicisme français du 17e s. Son plan en U, de style palatial, fut repris par tous

les ordres religieux de l'île de Montréal. L'**horloge** de la façade, créée à Paris, fut installée en 1701.

Cours Le Royer F6

Quadrilatère formé par les rues St-Dizier, de Brésoles, Le Royer et St-Paul.
À partir de 1861, des **entrepôts** furent construits sur le site de l'ancien hôtel-Dieu de Montréal. Dessinés d'après les plans de Victor Bourgeau, ils furent reconvertis à des fins d'habitation dans les années 1980. Ce projet à grande échelle conduisit à la transformation du Vieux-Montréal en quartier résidentiel. L'architecture proto-rationaliste des immeubles domine une charmante cour agrémentée de jardinières.

Rue Saint-Paul★★ EF6-8

Tout comme la rue Notre-Dame, cette voie étroite est l'une des plus anciennes de Montréal. C'était à l'origine un sentier reliant le fort à l'hôtel-Dieu, qui longeait la rive du St-Laurent, d'où son parcours sinueux. En 1672, Dollier de Casson en régularisa le tracé lorsqu'il établit son plan de ville. Il lui donna le nom de rue St-Paul, en l'honneur de **Paul de Chomedey**, sieur de Maisonneuve. Aujourd'hui, la petite artère est bordée de beaux bâtiments du 19e s. aux proportions harmonieuses.
Dans la section comprise entre le boulevard St-Laurent et la place Jacques-Cartier, les entrepôts d'autrefois ont été transformés en boutiques et ateliers d'artistes.

Salle du musée du château Ramezay.

58

Place Jacques-Cartier★★ F6

🕓 *Champ-de-Mars.* C'est en 1847 que le conseil de la ville donna officiellement son nom à la place, en l'honneur du célèbre explorateur **Jacques Cartier** dont le navire aurait mouillé non loin de là, en 1535. Au début du 18e s., le marquis de Vaudreuil fit construire un château, dont l'emplacement est aujourd'hui couvert de parterres fleuris. Un incendie ayant ravagé le bâtiment en 1803, on ouvrit alors un marché aux fruits, légumes et fleurs, qui se tint ici jusqu'à la construction du marché Bonsecours (🕓 p. 62). Avec ses terrasses de café, ses artistes ambulants, ses restaurants installés dans nombre des immeubles du début du 19e s. qui la bordent, la place Jacques-Cartier bénéficie, pendant la période estivale, d'une fabuleuse animation nocturne.

À l'extrémité nord de la place, une colonne de 15 m supporte la statue de **Horatio Nelson**. Ce monument, érigé en 1809, fut le premier à glorifier l'amiral (1758-1805), vainqueur des Français et des Espagnols à la bataille de Trafalgar.
À l'angle ouest de la rue Notre-Dame, le **bureau d'accueil touristique** (🕓 p. 6) est installé dans un café autrefois réputé, le Silver Dollar Saloon. Son plancher, incrusté de 300 dollars en argent, faisait dire aux clients qu'« ils marchaient sur une fortune ».

Partant de la place Jacques-Cartier, la petite **rue St-Amable** est bien connue pour ses artistes qui, l'été, y exposent et vendent des œuvres représentant Montréal et son vieux quartier.

Hôtel de ville F6

275 r. Notre-Dame Est - ☎ 514 872 3355 - www.ville.montreal.qc.ca - ♿ - tlj sf w.-end 8h30-17h - visite guidée sur réserv. (8 pers. mini) - fermé j. fériés - gratuit.
Construit dans les années 1870, c'est le premier édifice de style Second Empire qui vit le jour au Québec. Détruit par un incendie en 1922, il fut reconstruit par **Joseph-Omer Marchand** qui, réutilisant les murs existants, rehaussa la structure d'un étage. C'est du balcon central, juste au-dessus de l'entrée principale, que le général de Gaulle, en 1967, lança son inoubliable : « Vive le Québec libre ! »

À l'intérieur, l'élégant **hall d'honneur** (31 m de long sur 12 m de large), au sol et aux murs revêtus de marbre, est éclairé par un lustre de bronze pesant plus d'une tonne. Lorsqu'il ne se tient pas de séances, on peut voir la **chambre du Conseil** *(accès par le passage sous l'horloge)*, dont les vitraux illustrent certains aspects de la vie à Montréal dans les années 1920.
Rendez-vous à l'arrière de l'hôtel de ville où s'ouvre une superbe vue sur le centre-ville. Des fouilles sur le **Champ-de-Mars**, désormais un vaste espace planté de pelouse, ont révélé les bases d'un mur de fortification en pierre.

Château Ramezay★ F6

280 r. Notre-Dame Est - ☎ 514 861 3708 - www.chateauramezay.qc.ca - ✂♿ - juin-sept. : 10h-18h ; reste de l'année : tlj sf lun. 10h-16h30 - fermé 1er-2 janv. et 25-26 déc. - 10 $ (5-17 ans 5 $).

60

Face à l'hôtel de ville se trouve l'un des plus beaux exemples de l'architecture domestique des débuts du 18e s. Ce bâtiment, à la maçonnerie de moellons et au toit de cuivre percé de lucarnes, fut construit en 1705 pour **Claude de Ramezay** (1659-1724), onzième gouverneur de Montréal sous le Régime français. Il subit de nombreuses transformations tout en gardant sensiblement le même aspect, hormis la tour qui fut ajoutée au début du 20e s.

En 1745, les héritiers de Ramezay vendirent le château à la **Compagnie des Indes**, qui le fit reconstruire en 1756 par le maître maçon Paul Tessier, dit Lavigne. L'ancien corps de logis fut doublé, ce qui permit d'y ajouter un « appartement » et de le doter d'imposantes voûtes et de murs coupe-feu. En 1929, le château Ramezay fut l'un des trois premiers monuments à être classés en vertu de la loi relative aux monuments historiques du Québec.

Musée – Restauré et aménagé en musée en 1895, l'édifice est dédié à l'histoire politique, économique et sociale de Montréal. À l'étage principal, plusieurs salles présentent des objets issus de la collection permanente. Remarquez la salle des lambris, dont les boiseries en acajou sculpté (réalisées à Nantes) ornaient jadis les locaux de la Compagnie des Indes. Doté de remarquables voûtes, le sous-sol reproduit un quartier de domestiques et aborde certains aspects de l'artisanat traditionnel. Des expositions temporaires clôturent la visite.

Lieu historique national du Canada de Sir-George-Étienne-Cartier★ F5-6

458 r. Notre-Dame Est - ☎ 514 283 2282 - www.pc.gc.ca/cartier - ♿ - de mi-juin à déb. sept. : 10h-17h ; de déb. mai à mi-juin et de déb. sept. à fin déc. : tlj sf lun. 10h-17h - fermé janv.-avr. - 3,90 $ (enf. 1,90 $).

Ce bâtiment en pierre de taille coiffé d'un toit en fausse mansarde se compose de deux maisons indépendantes reliées par un ancien passage cocher, servant aujourd'hui d'espace d'accueil.

Véritable géant de la vie politique canadienne au 19e s., membre influent du cabinet de sir John A. Macdonald jusqu'à sa mort, **George-Étienne Cartier** (1814-1873) y résida par intermittence entre 1848 et 1872. Un bref panorama de la société montréalaise au 19e s. précède l'exposition évoquant la vie et l'œuvre de Cartier. Méticuleusement restaurée, la maison ouest recrée l'ambiance cossue d'une demeure victorienne de la bourgeoisie moyenne plutôt qu'elle ne reconstitue la demeure des Cartier à proprement parler. Visite guidée par des comédiens en costume en saison.

Maison du Calvet F6

401 r. Bonsecours, à l'angle de la r. St-Paul Est.

Cette demeure datant de 1770, avec ses murs en pierre sans ornement de bois, ses murs coupe-feu (partie de mur qui protège des étincelles) débordant sur consoles, ses hautes cheminées inscrites dans de larges pignons et sa toiture à pente sans lucarnes, est l'exemple type d'une maison urbaine traditionnelle à Montréal. L'attique, percé de trois petites fenêtres, évoque les toits mansardés caractéristiques de l'architecture des loyalistes. À l'intérieur, où est installé un hôtel-restaurant (& p. 23), subsiste une intéressante charpente typique du 18ᵉ s.

Maison Papineau F6

440 r. Bonsecours.
Ce grand bâtiment fut édifié en 1785 par **Jean-Baptiste Cérat**, dit « Coquillard ». Avec son toit à forte pente percé de deux rangées de lucarnes et sa porte cochère donnant accès à une arrière-cour, c'est une maison caractéristique du Régime français. Lors de sa reconstruction, en 1831, les murs de pierre furent revêtus de bois sculpté et peint, imitant la pierre de taille pour donner un fini néoclassique. La maison resta dans la famille Papineau pendant six générations. **Louis-Joseph Papineau** (1786-1871), chef du Parti des patriotes, y résida périodiquement entre 1814 et 1837.

Chapelle Notre-Dame-de-Bon-Secours★ F6

400 r. St-Paul Est - ✆ 514 282 8670 - www.marguerite-bourgeoys.com - de déb. mai à déb. oct. : tlj sf lun. 10h-18h ; mars-avr. et de déb. oct. à mi-janv. : tlj sf lun. 11h-16h - fermé de mi-janv. à fin fév. - musée 10 $ (enf. 5 $).
Elle est surnommée l'« église des marins », car ceux-ci avaient pour coutume d'offrir des ex-voto.

Ce petit édifice est surtout remarquable pour son clocher recouvert de cuivre et sa statue de la Vierge. La chapelle d'origine, commandée par Marguerite Bourgeoys en 1657, fut détruite par un incendie en 1754. L'édifice actuel date du milieu du 18ᵉ s. À la fin du 19ᵉ s., sa façade fut élevée, et son intérieur entièrement redécoré.
Une « chapelle aérienne » et un belvédère furent également ajoutés. Ce dernier, accessible par la tour (100 marches), offre une **vue panoramique★** sur le St-Laurent, l'île Ste-Hélène, le pont Jacques-Cartier et le Vieux-Port.
Musée Marguerite-Bourgeoys – Une ancienne école, attenante à la chapelle, ainsi que la tour et la crypte abritent plusieurs salles consacrées à la vie et l'œuvre de Marguerite Bourgeoys (1620-1700). Arrivée à Ville-Marie en 1653, elle fut la fondatrice de la première congrégation canadienne de sœurs non cloîtrées, la congrégation de Notre-Dame, et pendant des années, s'occupa des Filles du Roy.

Marché Bonsecours★ F6

350 r. St-Paul Est - ✆ 514 872 7730 - www.marchebonsecours.qc.ca - ✗ & P - de déb. janv. à déb. mai et nov.-déc. : 10h-18h ; de déb. mai à fin juin : dim.-jeu. 10h-18h, vend.-sam. 10h-21h ; de fin juin à déb. sept. : 10h-21h ; de déb. sept. à fin oct. : dim.-merc. 10h-18h, jeu.-vend. 10h-21h, sam. 10h-19h - gratuit.
Destiné à abriter le premier marché intérieur de Montréal, cette élégante construction (1845), avec sa longue

Promenade du Vieux-Port.

façade de pierre de taille et sa haute coupole, est encore plus intéressante du côté du fleuve. Les étals occupaient le rez-de-chaussée et s'ouvraient par de grandes baies sur l'extérieur. Après l'incendie du Parlement en 1849, le marché devint le siège de l'Assemblée du Canada-Uni. De 1852 à 1878, il servit d'hôtel de ville. Il accueille aujourd'hui des boutiques, dont celle du **Conseil des métiers d'art du Québec**, où vous trouverez le meilleur de l'artisanat québécois, des galeries, des cafés, des restaurants et des expositions.

Esplanade du Vieux-Port★ F5-6

Accès : r. Berri, pl. Jacques-Cartier, bd St-Laurent et r. McGill.
Avec ses aires paysagées, ses sentiers de promenade et ses innombrables activités de détente, cet immense espace riverain (environ 54 ha) connaît, surtout en été, une animation quasi permanente. L'endroit offre de belles **vues★** sur la ville et le fleuve, mais aussi des locations de vélos (*♿ p. 16*) et des croisières sur le St-Laurent (*♿ p. 17*). À l'extrémité est du quai de l'Horloge, la **tour de l'Horloge** (45 m) fut érigée en 1922 à la mémoire des marins disparus lors de la Première Guerre mondiale.

Centre des sciences de Montréal★ F6

Sur le quai King-Edward - ✆ 514 496 4724 ou 877 496 4724 - www. centredessciencesdemontreal.com - lun.-vend. 9h-16h, w.-end 10h-17h -
11,50 $ (13-17 ans 10,50 $), forfaits selon le nombre d'activités choisies, tarif variable suivant les expositions temporaires.
Les deux niveaux du Centre réunissent expositions temporaires et permanentes, toutes présentées de manière ludique et didactique. **Mission Gaia** invite à sauver l'humanité via un jeu interactif. **Science 26** permet d'expérimenter 26 dispositifs physiques ou mécaniques. **Imagine** vous projette dans l'espace, et **Cargo** dans les activités portuaires. Également dans les murs, un cinéma **IMAX-TELUS** en 3D.

Place Royale F6

En 1645, Maisonneuve fit bâtir sa résidence sur cette place, connue à l'origine sous le nom de place d'Armes. En 1706, elle devint la place du Marché-Public, là où le crieur lisait les proclamations officielles, où les malfaiteurs étaient mis au pilori, et où on se battait en duel. Elle fut officiellement baptisée place Royale en 1892. L'**Ancienne-Douane** en occupe le fond.

Pointe-à-Callière F6

L'origine du nom Pointe-à-Callière vient de **Louis-Hector de Callière**, gouverneur de Montréal de 1684 à 1698, qui s'y fit construire un château. C'est dans ce triangle de terre, où la rivière St-Pierre se jette dans le St-Laurent, que naquit Montréal en mai 1642. L'emplacement avait été remarqué et défriché par **Samuel de Champlain** en 1611, qui y voyait un excellent havre naturel pour les bateaux. Trente et un ans plus tard,

Maisonneuve y fit ériger une palissade de bois pour entourer la nouvelle colonie de Ville-Marie. Un **obélisque** commémore le débarquement de Maisonneuve.

Pointe-à-Callière, musée d'Archéologie et d'Histoire de Montréal★★ F6

350 pl. Royale - ℘ 514 872 9150 - www.pacmusee.qc.ca -☒☂ẛ- de fin juin à déb. sept. : 10h-18h, w.-end 11h-18h ; reste de l'année : tlj sf lun. 10h-17h, w.-end 11h-17h - fermé 1er janv., Fête des Patriotes (mai) et jour de l'Action de grâce (oct.), 25 et 26 déc. - 16 $ (6-12 ans 6,50 $).
Ce complexe muséologique, qui fait revivre l'histoire du quartier de la Pointe-à-Callière, comprend trois éléments distincts. L'édifice de **L'Éperon**, d'aspect très moderne, abrite au rez-de-chaussée une salle multimédia présentant un spectacle sur l'évolution de Montréal. Le premier étage propose des expositions temporaires, tandis qu'au troisième un belvédère offre de jolies **vues★** sur l'esplanade du Vieux-Port. Pour rejoindre l'Ancienne-Douane, le visiteur descend au sous-sol où toutes sortes d'objets et de vestiges architecturaux (notamment les restes du premier cimetière catholique de Montréal – 1643) témoignent de plusieurs siècles d'occupation humaine. La **crypte archéologique**, directement située sous la place Royale, renferme des vestiges mis au jour au cours de nombreuses fouilles archéologiques. Enfin, l'**Ancienne-Douane** (1838), dont la silhouette néoclassique domine la place Royale, a été transformée en centre d'interprétation de l'histoire contemporaine de Montréal, où sont proposées des expositions thématiques. D'importants travaux d'agrandissement du musée, démarrés en 2010 et qui s'achèveront à l'horizon 2017, relieront à terme les édifices actuels à d'autres sites historiques, en surface par des

REPÉRAGES

*Le **St-Laurent** coule généralement d'ouest en est, et l'on parle de sa rive nord et de sa rive sud. Mais à Montréal, le fleuve fait un crochet vers le nord, ce qui modifie son axe d'orientation dans sa traversée de la métropole. Néanmoins, les artères parallèles au fleuve sont dites est-ouest (au lieu de nord-sud), tandis que celles qui lui sont perpendiculaires sont dites nord-sud (et non est-ouest). Il est bon de repérer sur une carte le **boulevard St-Laurent**, car cette artère délimite les parties est et ouest de la ville. Demandez toujours, par exemple : rue Notre-Dame Ouest ou Notre-Dame Est ? Les numéros croissent de part et d'autre du boulevard. Enfin, ce dernier marque la frontière entre les quartiers de tradition anglophone, à l'ouest, et la ville francophone à l'est.*

jardins aménagés, et en sous-sol par la rivière St-Pierre canalisée. Après la **Maison-des-Marins** (place d'Youville, espace d'expo multimédia consacré à l'histoire et à l'archéologie) suivront chronologiquement les ouvertures du **château de Callière** (fort de Ville-Marie), du **marché Ste-Anne** et du sous-sol aménagé de l'édifice des Douanes.

Place d'Youville F6

La place fut baptisée en l'honneur de **Marguerite d'Youville**, fondatrice, en 1737, de la congrégation des Sœurs Grises. Les bâtiments autour de la place représentent différentes époques de l'histoire montréalaise, depuis l'hôpital général des Sœurs Grises, érigé au 17e s., jusqu'aux entrepôts du 19e s. et à l'immense **édifice des Douanes**, construit entre 1912 et 1936 dans le style Beaux-Arts.

Centre d'histoire de Montréal★ F6

335 pl. d'Youville - ☎ 514 872 3207 - www.ville.montreal.qc.ca/chm - ᴄ - tlj sf lun. 10h-17h - fermé 24-26 déc. et 31 déc.-10 janv. - 6 $ (6-17 ans 4 $).
Cette ancienne caserne de pompiers (1903) rappelle l'architecture baroque des Pays-Bas, avec son élégant pignon, son imposante lucarne et son décor sculpté. Aujourd'hui, le bâtiment de brique abrite un centre d'interprétation consacré à l'histoire de Montréal de 1535 à nos jours. Expositions temporaires.

Écuries d'Youville F6

298-300 pl. d'Youville (à droite lorsque l'on regarde le Centre d'histoire).
Disposés autour d'une belle cour intérieure aménagée en jardins, ces bâtiments de pierre (1828) ont servi d'entrepôts aux Sœurs Grises, puis de silos à grains. Ils n'ont jamais abrité d'animaux, mais au 19e s., des écuries se trouvaient à proximité. Restaurés en 1967, ils abritent des bureaux administratifs et un restaurant.

Fonderie Darling F7

745 r. Ottawa - ☎ 514 392 1554 - www.fonderiedarling.org - merc.-dim. 12h-19h (jeu. 22h avr.-déc.) - fermé janv. - 5 $ (jeu. gratuit).
Les frères Darling ouvrirent cette fonderie en 1880. Appareils de chauffage, pompes, ascenseurs, marches de tramway sortirent de ses moules et lui valurent d'être un temps la deuxième fonderie de Montréal. Revendue, elle subit le déclin de Griffintown (ᴄ encadré p. 70) et vivota jusqu'à sa fermeture en 1991. Elle doit sa renaissance à l'organisme culturel Quartier Éphémère, qui en a fait un lieu d'expression et d'initiation aux **arts visuels**. Les bâtiments de brique et de fonte du début du 20e s. ont conservé tout leur cachet. À l'intérieur, deux salles accueillent les expositions. L'espace abrite aussi des ateliers mis à disposition d'artistes émergents.

Pointe-à-Callière, musée d'Archéologie et d'Histoire de Montréal.

MONTRÉAL

0 ————— 400 m
0 ————— 1/4 mi

🚢 Croisières du port   🚌 Amphibus

🚤 Expéditions dans
les rapides de Lachine

N

PARC OLYMPIQUE

A   B

1

2

Boulevard

Rue
138
St-Urbain
R. Ontario
Bd
de Maisonneuve

Sherbrooke

Rue

SALLE
WILFRID-PELLETIER

Place
des Arts

Jeanne-

Place
des Arts

Musée d'Art
Contemporain

Mance

Rue de

Bleury

St-Alexandre

René-Lévesque

Prince-Arthur

Rue

Rue

Milton

Avenue du

Hutchinson

Aylmer

Parc

Av. du Président-Kennedy

City

Rue

Maisonneuve

Rue de

Councillors

Rue

Ste-Catherine

Pins

de

University

Rue

Rue

PARC
RUTHERFORD

Université

McGill

Musée
Redpath

Musée
McCord

McGill

Place de la
Cathédrale

PHILLIPS
SQUARE

Bd René-Lévesque

McTavish

BNP

Christ
Church

Av.

Beaver

Banque
Royale

Union

Rue

University

Industrielle Vie

EATON
CENTRE

Avenue
McGill
College

Docteur-Penfield

Rue

Rue

Sherbrooke

Peel

Peel

Rue

Rue

Place
Montréal
Trust

Metcalfe

Mansfield

Place Ville-
Marie

GARE
CENTRALE

Rue

Drummond

Stanley

Maisonneuve

Édifice
Dominion
Square

i

Sun
Life

LA REINE
ELIZABETH

PLACE

Av. du Musée

Rue

de

la

Square
Dorchester

Marie-Reine-
du-Monde

BONAVENT

Musée des
Beaux-Arts

Musée des Arts
Décoratifs

Rue

Windsor

Place du
Canada

1000 de la
Gauchetière

Rue

Bd

Rue

Ste-Catherine

Montagne

Bonaventure

Château
Champlain

Rue St-Jac

CONCORDIA
UNIVERSITY

138

Rue

Guy

Guy-
Concordia

Rue

Bishop

Crescent

Bd René-Lévesque

CENTRE
BELL

Lucien-L'Allier

Gare
Windsor

112

A   CENTRE CANADIEN D'ARCHITECTURE   B

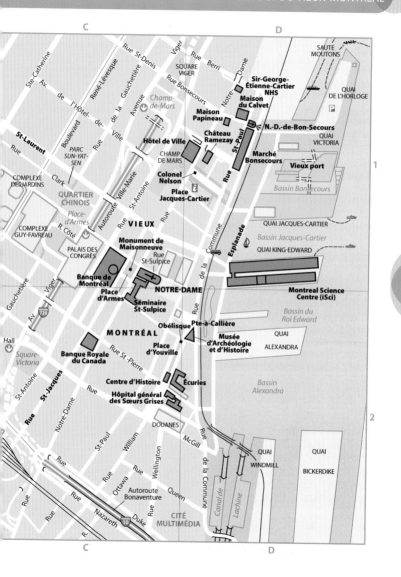

SAUTE MOUTONS

QUAI DE L'HORLOGE

Rue St-Denis

Viger

Rue Berri

Notre-Dame

SQUARE VIGER

Rue Bonsecours

Sir-George-Étienne-Cartier NHS

Maison du Calvet

Maison Papineau

N.-D.-de-Bon-Secours

QUAI VICTORIA

Ste-Catherine

Av. de l'Hôtel- de- Ville

René-Lévesque

Boulevard

de la Gauchetière

Avenue

Champ-de-Mars

Château Ramezay

Hôtel de Ville

Marché Bonsecours

Vieux port

St-Laurent

Rue

PARC SUN-YAT-SEN

Clark

CHAMP DE MARS

Rue St-Paul

Bassin Bonsecours

COMPLEXE DESJARDINS

Colonel Nelson

Place Jacques-Cartier

QUARTIER CHINOIS

Ville-Marie

St-Antoine

Autoroute

Place-d'Armes

R. Côté

VIEUX

Rue de la Commune

QUAI JACQUES-CARTIER

COMPLEXE GUY-FAVREAU

Bassin Jacques-Cartier

QUAI KING-EDWARD

PALAIS DES CONGRÈS

Monument de Maisonneuve

Rue St-Sulpice

Esplanade

Banque de Montréal

Place d'Armes

NOTRE-DAME

Gauchetière

Viger

Séminaire St-Sulpice

Montreal Science Centre (iSci)

AV. 720

Rue

Obélisque

Pte-à-Callière

Bassin du Roi Edward

MONTRÉAL

Place d'Youville

Musée d'Archéologie et d'Histoire

QUAI

Hall

Banque Royale du Canada

Rue St-Pierre

ALEXANDRA

Square-Victoria

Centre d'Histoire

Écuries

Bassin Alexandra

St-Antoine

Notre-Dame

Hôpital général des Sœurs Grises

Rue

St-Jacques

Rue

St-Paul

William

DOUANES

Rue de la Commune

Wellington

McGill

QUAI WINDMILL

QUAI BICKERDIKE

Rue

Rue

Rue

Ottawa

Queen

Autoroute Bonaventure

Nazareth

Duke

CITÉ MULTIMÉDIA

Canal de Lachine

C

D

1

2

Au cœur du centre-ville★

Après plus d'un siècle de prospérité rue St-Jacques dans le Vieux-Montréal, le quartier d'affaires migre dans les années 1960 dans l'ouest de la ville, vers l'ancien quartier résidentiel bourgeois autour du square Dorchester. Montréal se met alors à ressembler à New York avec ses gratte-ciel qui poussent en forte concentration au milieu d'anciens édifices religieux comme la cathédrale Marie-Reine-du-Monde ou l'église St-George.

➜**Accès :** Ⓜ Bonaventure, Peel et McGill. Plan détachable DE6-7. Plan détaillé du centre-ville p. 68.

➜**Conseil :** ne manquez pas la cathédrale Marie-Reine-du-Monde, la seule rescapée des huit temples érigés autour du square Dorchester, et l'un des plus beaux édifices de la ville. En cas de mauvaise météo, la visite de la ville souterraine peut s'effectuer depuis la station de métro Peel. Pour prendre de la hauteur, rendez-vous sur la terrasse du 737 qui offre une jolie vue (Ⓖ p. 42).

Square Dorchester★ DE6-7

Ⓜ *Peel. Cet agréable espace public, rebaptisé en 1988 en l'honneur de Lord Dorchester (gouverneur de l'Amérique du Nord britannique au 18ᵉ s.), fut longtemps considéré comme le cœur de la ville, même si les gratte-ciel avoisinants lui ont fait perdre de son panache. Des sculptures agrémentent* le square, parmi lesquelles une statue de **sir Wilfrid Laurier** (1841-1919), premier Québécois francophone à devenir Premier ministre du Canada, le monument du régiment canadien de cavalerie de Lord Strathcona, élevé en l'honneur des Canadiens tombés pendant la guerre des Boers (1899-1901), par George Hill, auteur également de la statue du Lion de Belfort.

CITÉ MULTIMÉDIA

Le secteur sud-ouest du Vieux-Montréal correspond à l'ancien faubourg Ste-Anne ou **Griffintown***. Les premiers Irlandais à s'installer ici travaillaient au percement du canal de Lachine dans les années 1820. Entrepôts et industries métallurgiques, dont un certain nombre de fonderies, ont par la suite investi les rues, les transformant en fourmilière jusqu'à la crise de 1929. Aujourd'hui, les anciens bâtiments industriels ont été réaménagés ou ont fait place à de nouveaux complexes, particulièrement prisés par les entreprises de nouvelles technologies, ce qui lui vaut son nom actuel. Des designers y installent également leurs ateliers.*

Boer War Memorial, square Dorchester.

70

Édifice Dominion Square★ D6

Côté nord du square Dorchester, entre les rues Peel et Metcalfe.
Cet imposant bâtiment d'inspiration néo-Renaissance évoque la grandeur des palais florentins du 15e s. À l'époque de sa construction, en 1929, il introduisit plusieurs nouveautés : un stationnement souterrain, un centre commercial de deux étages, les premiers escaliers mécaniques en bois de Montréal, et un mélange alors inhabituel de bureaux et de boutiques. Le **centre Infotouriste** (🕐 *p. 6)* se trouve à l'extrémité est de la galerie reliant les rues Peel et Metcalfe, niveau rez-de-chaussée.

Le Windsor★ D7

1170 r. Peel.
L'hôtel, inauguré en 1878, fut gravement endommagé par un incendie en 1906, puis en 1957. Son aile principale détruite fut remplacée par la Banque de Commerce (1962), repérable à ses châssis d'ardoise et à sa façade de verre et d'acier inoxydable. L'hôtel conserva l'aile restante jusqu'à sa fermeture en 1981. La façade en pierre de taille et en brique est surmontée d'un toit mansardé percé d'œils-de-bœuf et de lucarnes. Lors de la reconversion du Windsor en immeuble de bureaux (1985), le rez-de-chaussée, de style Adam, fut préservé.

Édifice Sun Life★★ E6

1155 r. Metcalfe.
Cet édifice de style Beaux-Arts, à la structure d'acier revêtue de granit blanc, fut construit en 1913. Orné de massives colonnades sur ses quatre façades, le bâtiment occupe tout le côté est du square Dorchester. À l'époque, il contribua à faire de Montréal la plus importante place financière du Canada. C'est au troisième sous-sol que furent cachés, durant la Seconde Guerre mondiale, les bons du Trésor et la réserve d'or de Grande-Bretagne. Il abrite aujourd'hui le siège canadien de la Sun Life et de célèbres firmes d'assurances et de courtage.

Place du Canada E7

🔽 *Bonaventure.*
Face au square Dorchester, plusieurs tours dominent cette place verdoyante. **La Laurentienne** (1986) dresse sa structure postmoderne, toute de cuivre et de verre. Parfois appelé la « râpe à fromage », l'**hôtel Château-Champlain** (1967), dû à Roger d'Astous, témoigne de l'influence de Frank Lloyd Wright. Dominant le côté sud-est de la place, la tour de bureaux du **1000 de la Gauchetière** reflète les tendances architecturales des années 1990. Ses 205 m de hauteur en font l'immeuble le plus élevé de la ville.

Église anglicane Saint-George★ E7

R. de la Gauchetière - 📞 514 866 7113 - www.st-georges.org - ♿ tlj sf lun. 9h-16h30 - gratuit.
Construite en 1870, cette église néogothique est le plus ancien édifice de la place du Canada. L'intérieur,

72

harmonieusement proportionné, présente une étonnante charpente double en pin rouge et en épinette, réalisée avec double blochet (pièce de bois retenant la plate-forme qui reçoit les chevrons). Remarquez le retable de chêne et sa délicate dentelle ajourée, les stalles du chœur, le jubé et l'orgue Casavant (1896).

Gare Windsor★ E7

Angle r. Peel et r. de la Gauchetière. Dessinée par **Bruce Price**, le célèbre architecte du château Frontenac de Québec, cette gare (1889) illustre le style néoroman « richardsonien », avec ses tours, ses créneaux, ses tourelles et ses arcs en plein cintre. Créée pour abriter le centre administratif des chemins de fer du Canadien Pacifique, c'est aujourd'hui le terminus des trains de banlieue.

Centre Bell E7

✪ *Lucien-L'Allier. 1909 r. des Canadiens-de-Montréal -* ℘ *514 989 2841 - www.centrebell.ca et www.temple. canadiens.com - hors jours de match : mar.-sam. 10h-18h, dim. 12h-17h - visites guidées - 11 $ (5-16 ans 8 $).* Inauguré en 1996, c'est le quartier général du célèbre Club de hockey Canadien. La gigantesque **Arena**, où se disputent les *games* de hockey, est aussi l'une des principales scènes montréalaises (*👟 p. 42*).
Temple de la renommée des Canadiens de Montréal – Ce musée retrace l'histoire du club, né en 1909, à travers des collections d'objets et des présentations multimédias.

Basilique-cathédrale Marie-Reine-du-Monde★★ E7

Bd René-Lévesque - ℘ *514 866 1661 - www.cathedralecatholiquedemontreal. org -* ♿ *- 7h-18h15, w.-end 7h30-18h15.* Lorsque la cathédrale St-Jacques, érigée dans le secteur est de Montréal, fut détruite par le feu, **Monseigneur Ignace Bourget** décida d'en construire une autre dans le quartier ouest, anglophone et protestant, afin d'y affirmer la présence de l'Église catholique. Il choisit comme modèle St-Pierre de Rome, mais la taille de l'édifice sera réduite au tiers. Les travaux, commencés en 1870, furent interrompus en 1878 par manque de finances avant de reprendre en 1885. Dessiné par **Victor Bourgeau**, cet édifice de style néobaroque se distingue par de grandes colonnes grecques, une riche ornementation et une corniche décorée de statues représentant les saints patrons des paroisses qui formaient le diocèse de Montréal en 1890.
Intérieur – Dans le vestibule sont accrochés les portraits des évêques de Montréal. De grands tableaux peints par Georges Delfosse relatent des épisodes de l'histoire religieuse du Canada. Dans la chapelle derrière l'autel, statue de la Vierge de Sylvia Daoust, sculptrice canadienne du 20e s.

Place Ville-Marie★★ E6

✪ *Peel - www.placevillemarie.com. Accès à la ville souterraine (👟 p. 44) par les pavillons de verre face à la tour de la Banque royale.*

73

Cœur de la **ville souterraine** avant l'extension du réseau autour de la station de métro McGill, la place Ville-Marie, premier gratte-ciel érigé à Montréal, amorça la renaissance du centre-ville. Le projet, inspiré du Rockefeller Center de New York, visait à combler l'énorme trou laissé dans le centre-ville par le percement du tunnel ferroviaire sous le mont Royal avant la Première Guerre mondiale. La crise économique de 1929 retarda les travaux qui ne débutèrent qu'en 1959. L'ensemble, composé de quatre bâtiments, est dominé par la tour de la **Banque royale du Canada**★ (1962). Cette structure cruciforme au revêtement d'aluminium, due à I. M. Pei, Affleck & Associés, abrite des bureaux sur 42 étages. Elle s'ouvre sur une esplanade de béton particulièrement animée à la saison estivale. De là, une **perspective**★ unique s'étend sur le nord de la ville, de l'avenue McGill College à l'université McGill, dominée par le mont Royal.

Depuis les **galeries marchandes** situées sous l'esplanade, de larges lucarnes offrent de curieuses vues sur les tours avoisinantes.

Avenue McGill College D6

Tracée en 1857 dans le prolongement de l'allée centrale du campus universitaire, elle a fait l'objet d'importants projets d'aménagement au cours des dernières décennies. Véritable point de mire de l'architecture postmoderne à Montréal, c'est l'axe le plus fréquenté de la ville.

Place Montréal Trust★★ D6

1500 av. McGill College - ☎ 514 843 8000 - www.placemontrealtrust.com - ♿ 🅿 - lun.-mar. et sam. 10h-18h (20h juin-août), merc.-vend. 10h-21h, dim. 11h-17h - fermé 24 juin et 1er juil.

Ce cylindre jaillissant d'un socle quadrangulaire, mélangeant marbre rose et verre bleuté (dû aux architectes E. Zeidler, E. Argun et P. Rose), date de 1989. Un **atrium** vitré s'élève au-dessus du métro et un ascenseur panoramique permet d'admirer la belle fontaine centrale, en bronze. Avec plus d'une centaine de boutiques, il s'agit d'un des lieux les plus fréquentés du centre-ville à l'heure du déjeuner.

Rue Sainte-Catherine CH2-8

Principale artère commerciale de la ville, elle est bordée de grands magasins (Ogilvy, Eaton Centre et La Baie), d'énormes centres commerciaux (faubourg Ste-Catherine) et de boutiques. Le soir, cette rue attire les foules dans ses nombreux bars et boîtes de nuit.

Cathédrale Christ Church★ E6

R. Ste-Catherine - ☎ 514 843 6577 (poste 371) - www.montreal.anglican.org/cathedral - ♿ - 8h15-17h15 - gratuit.

Avec son triple portique orné de pignons et de gargouilles, sa façade de pierre de taille et sa flèche élancée, cette église (1859) est un exemple achevé du style néogothique.

Cathédrale Marie-Reine-du-Monde.

74

UN ÉDIFICE FRAGILE

*Les fondations de la **cathédrale Christ Church** se révélèrent si fragiles que l'on dut, en 1927, démonter la flèche de pierre de 39 m qui surmontait la tour et qui commençait à s'incliner de 1,2 m vers l'est. On la remplaça, en 1940, par une copie en aluminium façon pierre. Durant les années 1980, le terrain sur lequel repose la cathédrale fut loué à une société de développement qui construisit sous l'église même des galeries marchandes souterraines (Promenades Cathédrale) et sauva ainsi l'édifice, empêchant qu'il ne s'enfonce dans le sol.*

L'intérieur se compose d'une nef cintrée et des fenêtres ogivales ornées d'éléments tréflés ou quadrifoliés. Plusieurs vitraux proviennent de l'atelier londonien de William Morris. Le chœur présente un beau retable sculpté.

Promenades Cathédrale E6

🕿 514 845 8230 - www.promenadescathedrale.com - ✗&- lun.-merc. 10h-18h, jeu.-vend. 10h-21h, sam. 10h-17h, dim. 11h-17h - fermé j. fériés. Liaison entre les grands magasins Eaton Centre et La Baie, cette **galerie marchande** (1988) est aménagée sous l'église. Dans les allées, des ornements en forme d'ogives rappellent la présence du monument religieux.

Complexe Les Ailes DE6

677 r. Ste-Catherine Ouest - 🕿 514 288 3759 - www.complexelesailes.com - ✗&- lun.-mar. et sam. 10h-18h, merc.-vend. 10h-21h, dim. 11h-17h - fermé j. fériés. Ce magasin à grande surface, acquis en 1925 par Timothy Eaton, fut modifié et agrandi au fil des ans. Il forme avec **Eaton Centre** (www.centreeatondemontreal.com), son annexe moderne, un quadrilatère compris entre les rues University et Ste-Catherine, l'avenue McGill College et le boulevard de Maisonneuve.

Musée Grévin E6

🚇 McGill. 705 r. Ste-Catherine Ouest - Eaton Centre (dernier étage) ouverture en mars 2013.
À l'image de son célèbre jumeau parisien, le musée Grévin de Montréal présente les copies de cire des « grands personnages de la Belle Province ». Vous pourrez ainsi vous faire photographier aux côtés de Jacques Cartier, Céline Dion, Félix Leclerc, Gilles Vigneault...

Place de la Cathédrale★ E6

🚇 McGill.
De conception postmoderne, cet immeuble de 34 étages aux parois de verre cuivré (1988 – Webb, Zerafa, Menkès & Housden) abrite les bureaux de la cathédrale anglicane et du diocèse. Avec ses arches en pointe, ses colonnades et ses meneaux, son toit

76

pentu et ses hautes fenêtres en arcs
brisés, l'architecture de l'édifice rappelle
Christ Church. Pénétrez dans le **hall** en
forme de nef pour admirer la splendide
vue sur la cathédrale et son clocher.

Tours BNP / Banque Laurentienne★ D6

1981 av. McGill College.
L'« édifice bleu » (1981) est un symbole
de la relance économique des années
1980. Il se compose de tours jumelées
(16 et 20 étages) aux parois de verre
réfléchissant, communiquant entre elles.
L'ensemble s'ouvre sur une esplanade où
s'élève une **sculpture** en fibre de verre
de Raymond Masson, *La Foule illuminée*.

Tour L'Industrielle-Vie D6

*2000 av. McGill College (à l'angle nord-
ouest de l'intersection McGill College-
Maisonneuve).*
Cette tour revêtue de granit (1986)
présente quelques ornements
postmodernes. L'énorme fenêtre en
forme d'éventail à l'entrée se répète au
sommet de l'édifice. Sur le trottoir, notez
une charmante **sculpture** intitulée
Le Banc du secret, due à Lea Vivot.

Maison Ultramar D6

2200 av. McGill College.
Dans cet édifice (1990) ont été intégrés
l'ancien **University Club** *(892 r.
Sherbrooke)* et la **maison Molson**
(2047 r. Mansfield). L'entrée en retrait,
surmontée d'une façade de verre
arrondie, démontre l'habileté de
l'architecte à traiter ce coin de rue.

Place Mercantile D6

Face à la maison Ultramar.
Cet ensemble de verre et d'aluminium
(1982) comprend une rangée
d'anciennes façades de pierre grise
datant de 1872 (donnant sur la rue
Sherbrooke). L'un de ces immeubles,
le **Strathcona Hall** (1904), fut cédé
par l'université McGill à la condition
qu'il soit conservé. L'édifice s'effondra
en cours de chantier, mais fut
reconstruit.

Musée McCord d'Histoire canadienne★★ D6

*690 r. Sherbrooke Ouest - ✆ 514 398
7100 - www.musee-mccord.qc.ca - ✗ & -
mar.-dim. 10h-18h (merc. 21h, w.-end
17h) - fermé lun. sf j. fériés et été (10h-17h),
1er janv. et 25 déc. - 14 $ (-12 ans gratuit),
merc. 17h-20h et 1er sam. du mois 10h-17h
gratuit.*
Cette institution muséologique vit le
jour en 1921, grâce à la générosité de
David Ross McCord (1844-1930) qui
fit don de sa collection personnelle à
l'université McGill. En 1968, le musée
s'installa dans ce sobre édifice de pierre
calcaire grise qui hébergeait autrefois
le centre universitaire McGill. Construit
en 1906 par Percy E. Nobbs, le bâtiment,
orné d'un portail d'entrée baroque
flanqué de pilastres toscans, a été
agrandi en 1992.
Les expositions présentent une
sélection d'œuvres issues d'un fonds
de quelque 100 000 objets (artisanat
amérindien, objets d'arts décoratifs, etc.)
et 1 300 000 photographies historiques,

77

dont 400 000 sont l'œuvre de **William Notman** (1826-1891), célèbre photographe canadien du 19e s.

Université McGill★ D6

Au bout de l'av. McGill College.
La plus ancienne université de Montréal et du Canada bénéficie d'un magnifique campus en plein cœur de la ville, adossé aux pentes du mont Royal. On y pénètre par le célèbre **portail Roddick**, de style néoclassique grec. Érigé en 1924 à la mémoire de sir Thomas Roddick, ancien doyen de la faculté de médecine, il est orné d'une horloge offerte par Lady Roddick en hommage à la proverbiale ponctualité de son mari.

Les 70 bâtiments du campus offrent une grande variété de styles architecturaux. Avec leurs façades ornées, leurs tours et leurs tourelles, les édifices de pierre de taille construits au début du 19e s. contrastent étrangement avec les bâtiments plus modernes, en béton nu.

Pavillon des Arts – *Au bout de l'avenue principale.* Le corps central et l'aile est (pavillon Dawson) de cet édifice, le plus ancien du campus, furent bâtis par John Ostell de 1839 à 1843. L'aile ouest (pavillon Molson) et les sections de raccordement remontent aux années 1861-1880. L'intérieur fut entièrement refait en 1924. En gravissant les quelques marches du large escalier menant au portique de pierre (à l'origine en bois), vous bénéficierez d'une jolie **vue** sur le centre-ville.

Musée d'Histoire naturelle Redpath★ – *À l'ouest du pavillon des Arts -* ℘ *514 398 4086 (poste 4094) - www.mcgill.ca/redpath - lun.-vend. 9h-17h, dim. 11h-17h - fermé sam. et j. fériés - gratuit.* Cet édifice néoclassique (1882) doit sa construction à la générosité de **Peter Redpath**, riche industriel qui établit la première raffinerie de sucre au Canada. Les architectes créèrent une façade éclectique d'inspiration à la fois grecque et Renaissance. Ce musée recèle des trésors d'une étonnante variété : collections de minéraux, de paléontologie et de zoologie, mais aussi objets d'Afrique et antiquités égyptiennes.

HISTOIRE DE L'UNIVERSITÉ

*À sa mort, le négociant de fourrures écossais **James McGill** (1744-1813) légua à l'Institution royale pour l'avancement des sciences la coquette somme de 10 000 livres sterling ainsi que son domaine de Burnside, à la condition expresse qu'il y soit fondé un établissement d'enseignement supérieur. En 1821, le tout nouveau « collège McGill » recevait une charte royale de George IV. Les premiers cours débutèrent en 1829, date à laquelle un collège de médecine de Montréal fut rattaché à McGill. Depuis, l'université a connu un essor fulgurant. Elle compte aujourd'hui plus de 22 facultés et écoles professionnelles.*

Centre-ville côté ouest★★

En périphérie nord et ouest du quartier d'affaires, au pied du mont Royal et de certains gratte-ciel, subsistent çà et là des édifices de l'ancien quartier bourgeois anglophone surnommé le Golden Square Mile. Les demeures de style victorien rescapées du réaménagement du centre-ville peuvent être contemplées le long de l'artère principale : la très chic rue Sherbrooke.

➜**Accès :** 🕐 Peel, Guy Concordia et McGill. Plan détachable CD6-7.

➜**Conseil :** remontez la rue Peel, de la rue Sherbrooke jusqu'au parc du Mont-Royal ; profitez de la gratuité du très riche musée des Beaux Arts et arrêtez-vous à la boutique en partant.

Rue Sherbrooke BF1-8

Voici l'une des artères les plus prestigieuses et les plus animées du centre-ville. Entre architectures victorienne, néogothique ou néoromane et ternes immeubles de bureaux des années 1950, c'est aussi le quartier le plus éclectique de la ville.

Golden Square Mile CD6

Ce secteur, délimité au sud par la rue Sherbrooke, au nord par l'avenue des Pins, à l'est par la rue University et à l'ouest par l'angle de la rue Guy et du chemin de la Côte-des-Neiges, faisait partie du domaine des sulpiciens. Après la Conquête, il passa aux mains des familles anglaises et écossaises de négociants en fourrures. De riches propriétaires terriens, tel **James McGill**, y firent bâtir leur maison de campagne, non loin des vergers réputés qui s'étendaient sur le mont Royal. En 1885, une bourgeoisie que l'achèvement de la construction du Canadien Pacifique avait enrichie suivit leur exemple.

Rue Peel DF6-8

Cette élégante artère porte le nom de **sir Robert Peel** (1788-1850), Premier ministre britannique et fondateur du Parti conservateur qui favorisa le passage de l'Angleterre à l'ère industrielle. C'est de lui que les fameux *bobbies*, agents de la police londonienne dont il fut le créateur, tiennent leur surnom. Au nord, la rue est bordée d'anciennes demeures appartenant pour la plupart à l'université McGill.

Maison Alcan★ D6

1188 r. Peel (entrée principale 2200 r. Stanley). Les architectes de cet édifice (1983), siège social de l'importante société Aluminium Alcan Ltd, ont respecté les directives de préservation du patrimoine, englobant dans la façade cinq bâtiments du 19e s. qui formaient la partie sud de la rue Sherbrooke, entre les rues Stanley et Drummond. À l'extrême gauche, la **maison Atholstan** (*n° 1172*), en pierre de taille, réalisée en 1895 dans le style Beaux-Arts, est caractéristique des constructions élevées par l'élite financière de l'époque. Un superbe **atrium** couvert d'une verrière relie les cinq bâtiments à l'édifice Davis, construction moderne au revêtement d'aluminium, dissimulée à l'arrière. Le vaste espace est mis en valeur par plusieurs œuvres d'art.

Ritz-Carlton★ D6-7

Ce luxueux édifice (1912) présente une élégante façade en pierre calcaire de style néo-Renaissance, ornée de détails en terre cuite. Sa marquise en fer forgé est éclairée par de superbes lampadaires. Le bâtiment, agrandi en 1956 dans son style d'origine, comporte dans sa partie ouest des panneaux décoratifs au-dessus des fenêtres. Le hall d'entrée et les salles de réception s'enorgueillissent d'un fastueux décor tout de marbre, de bronze, de cuir et de boiseries. L'établissement, qui a vu défiler un grand nombre de souverains et de chefs d'État, dont Charles de Gaulle, reste très apprécié des célébrités. De l'autre côté de la rue *(n° 1321)*, l'immeuble d'appartements **Le Château,** surmonté d'un toit en pente, orné de créneaux et de tourelles de pierre, date de 1925.

Rue Crescent D7

Deux rangées de charmants édifices victoriens longent les deux blocs de cette artère, située entre la rue Sherbrooke et la rue Ste-Catherine. On y trouve un grand nombre de boutiques de mode, de galeries d'art, de magasins de tissus et de restaurants qui, en été, ouvrent balcons et terrasses, ajoutant à l'animation du quartier.

Musée des Beaux-Arts de Montréal★★ D7

1380 r. Sherbrooke Ouest -
℘ 514 285 2000 - www.mmfa.
qc.ca - ✕ ♿ *- collections permanentes :*
mar.-vend. 11h-17h, w.-end 10h-17h ;
expositions : mar. 11h-17h, merc. 11h-21h,
jeu.-vend. 11h-19h, w.-end 10h-17h - fermé
lun., 1er janv. et 25 déc. - collections perma-
mentes gratuites, expositions 20 $ (merc.,
jeu et vend. soirs 10 $, 13-25 ans 12 $).
Située au centre du Golden Square Mile, cette vénérable institution muséologique est née en 1860. Ses collections se répartissent de part et d'autre de la rue Sherbrooke, dans des bâtiments reliés par un sous-sol.

Pavillon Michal et Renata Hornstein – Avec son grand escalier et son portique en marbre blanc du Vermont, formé d'une majestueuse colonnade et de hautes portes massives, ce bâtiment, élevé en 1912, est un bel exemple du style Beaux-Arts. C'est lui qui accueillit les 467 premières œuvres d'art de l'Association d'art de Montréal (AAM). Il rassemble aujourd'hui les collections des **cultures du monde** (arts précolombien, asiatique, africain, islamique), de même que des objets de l'Antiquité classique.

Pavillon Jean-Noël Desmarais – Ajoutée en 1991, cette annexe est l'œuvre de l'architecte **Moshe Safdie,** célèbre pour ses réalisations comme l'Habitat 67 *(❤ p. 101),* le musée des Beaux-Arts du Canada, à Ottawa, et

Musée des Beaux-Arts de Montréal.

le musée de la Civilisation, à Québec. Doté d'une entrée monumentale, le bâtiment englobe la façade en brique de style néo-Renaissance du New Sherbrooke, immeuble d'appartements (1905) qui occupait le site avant sa construction. De grandes baies vitrées et des lucarnes offrent une vue imprenable sur la ville. Face à la rue Bishop, un ensemble de cinq grandes salles voûtées s'ouvre sur une agréable cour intérieure vitrée. Pour une visite chronologique, commencez par le dernier étage : après l'art occidental du Moyen Âge au 19e s., vous aborderez l'art du 20e s. et l'art contemporain international et canadien (depuis 1960). Vous y verrez des réalisations d'artistes canadiens célèbres comme Jean-Paul Riopelle, ou Paul-Émile Borduas, Betty Goodwin et Geneviève Cadieux. Enfin, des salles sont consacrées aux arts graphiques et à la photographie.

Pavillon Liliane et David M. Stewart – Il est dédié aux **arts décoratifs★** de la Renaissance aux créations contemporaines, et expose aussi les travaux de designers québécois.

Pavillon Claire et Marc Bourgie – Ce nouveau pavillon présente l'**art québécois et canadien**, depuis l'art inuit et l'art de la Nouvelle-France jusqu'aux années 1970, à travers quelque 600 œuvres réparties sur six niveaux. Il est accolé à **L'Erskine and American United Church**, bel exemple du style néoroman « richardsonien » (1894). D'abord affectée à deux groupes religieux, l'église Erskine et l'église presbytérienne américaine réunies depuis 1934, elle a été annexée au musée et abrite une salle de concert.

Church of Saint Andrew and Saint Paul D7

3415 r. Redpath - ☏ 514 842 3431 - www.standrewstpaul.com - ♿ - tlj sf w.-end 9h-17h - gratuit.
Ce temple presbytérien de style néogothique (1932), flanqué d'une tour commémorative de 41 m de haut, est l'église du régiment canadien des Black Watch. Un immense vitrail, à la mémoire des victimes de la Première Guerre mondiale, domine le maître-autel. Les deux premiers vitraux à gauche de la nef furent conçus par Edward Burne-Jones, du cabinet William Morris.
De l'autre côté de la rue, une rangée d'anciennes résidences de pierre grise (nos 1400-1460) abrite de prestigieuses **galeries d'art**.

Guilde canadienne des métiers d'art D7

1460 r. Sherbrooke Ouest - ☏ 514 849 6091 - www.canadianguild.com - mar.-vend. 10h-18h, sam. 10h-17h - fermé dim. et lun.
À la fois galerie et boutique, elle héberge une superbe collection de **sculptures inuites** et d'art amérindien.
Au coin de la rue Simpson se dresse le **Linton** (n° 1509), l'un des plus grands immeubles d'appartements à l'époque de sa construction (1907). Son extérieur de brique, d'un style Beaux-Arts, est doté d'ornements en terre cuite.

Grand Séminaire de Montréal C7

2065 r. Sherbrooke Ouest (à l'angle de la r. du Fort) - ℘ 514 935 7775 - www.gsdm. qc.ca - ♿ - visite guidée des tours, jardin, bassin et chapelle (1h30) juin-août : mar.-vend. 13h et 15h, sam. 10h et 13h - tarif à l'appréciation du visiteur.

Deux tours coiffées d'un toit en poivrière marquent l'emplacement d'un petit fort que les sulpiciens avaient établi en 1676 pour défendre leur mission. En 1685, le fort fut reconstruit et doté de quatre tours et d'une muraille d'enceinte. Les tours nord furent démolies en 1854 pour faire place au Grand Séminaire (1857). Les deux tours restantes restaurées figurent, avec le séminaire de la rue Notre-Dame, parmi les bâtiments les plus anciens de l'île de Montréal. À l'intérieur de l'édifice principal se trouve la remarquable **chapelle**★ du Grand Séminaire (1904-1907). Son intérieur monumental présente une grande nef à voûte de cèdre, imitant l'architecture paléochrétienne. Remarquez le superbe orgue Guilbault-Thérien, fait dans la tradition classique française du 18ᵉ s.

Centre Canadien d'Architecture★ D7

1920 r. Baile - ℘ 514 939 7026 - www.cca.qc.ca - ♿🅿 - tlj sf lun.-mar. 11h-18h (jeu. 21h) - fermé 1ᵉʳ janv. et 25 déc. - 10 $ (étudiants et enf. gratuit).

Né en 1989 de la volonté de l'architecte **Phyllis Lambert** qui souhaitait encourager l'étude et l'appréciation de l'environnement bâti, il constitue un centre de références et de recherches unique au monde. Il organise des expositions temporaires sur le thème de l'architecture et compte une librairie au choix impressionnant d'ouvrages sur l'architecture et le design.

Le CCA est un exemple original de l'architecture postmoderne à Montréal. Sur le site choisi se dressait un manoir de style Second Empire. La **maison Shaughnessy** (1874), dont les salles de réception, le conservatoire et le salon de thé ont été restaurés dans leur splendeur du 19ᵉ s. et meublés d'œuvres contemporaines, est au cœur de l'ensemble. Elle est entourée sur trois côtés par le musée aux lignes simples et à la façade symétrique.

Mont Royal et alentour

Point culminant du haut de ses 233 m, le mont Royal domine toute l'île de Montréal et assure de spectaculaires vues sur les tours du quartier d'affaires, les ponts Jacques-Cartier, Champlain, Victoria et le fleuve St-Laurent qui ceinture la ville. Outre les cimetières juif, protestant et catholique, plusieurs réservoirs d'eau et la tour de transmission de Radio Canada, il offre de précieux espaces paysagés aux Montréalais, très attachés à la nature.

→**Accès :** Peel, McGill ou Mont-Royal ; sentiers d'accès à pied, depuis les avenues Duluth et du Mont-Royal ou la rue Peel (*ci-dessous*). Plan détachable AD5-8.

→**Conseil :** le panorama depuis le belvédère du chalet du Mont-Royal gagne en intensité avec les premiers éclairages de gratte-ciel au coucher du soleil. Chaque fin de semaine, des dizaines de jeunes équipés de tam-tams se rassemblent au pied du monument dédié à George-Étienne Cartier : ambiance assurée.

Parc du Mont-Royal★★ C5-7

À pied : à env. 20mn du centre-ville. R. Peel jusqu'à l'av. des Pins, puis chemin coupé de petits escaliers ; le dernier escalier, très raide, compte 204 marches. www.lemontroyal.qc.ca - ✕ ♿ 🅿 - 6h-0h.

Très bel exemple du style paysager en vogue au 19ᵉ s., le parc du Mont-Royal fut créé selon les plans du célèbre architecte paysagiste américain **Frederick Law Olmsted** (1822-1903), à qui l'on doit l'aménagement de Central Park à New York. Riche d'environ 60 000 arbres et de 650 espèces de plantes et de fleurs, cette véritable réserve naturelle abrite aujourd'hui une faune très variée (oiseaux, écureuils gris, tamias rayés…). Ce parc compte aussi un lac, deux belvédères d'observation, un chalet d'accueil et de nombreux sentiers à travers bois.

Belvédère du chalet – *Chemin depuis le parking (env. 7mn).* D'ici, la **vue★★★** sur Montréal est splendide.

On distingue en contrebas le campus de l'université McGill et son pavillon des sciences médicales McIntyre, reconnaissable à sa forme cylindrique. Plusieurs gratte-ciel du centre-ville se détachent sur l'horizon : le 1000 de la Gauchetière, la tour cruciforme de la Banque royale et la place de la Cathédrale. Au loin se déroule le ruban argenté du St-Laurent.

Croix – *Accès à pied à partir du chalet.* En décembre 1642, **Paul de Maisonneuve**, fondateur de Ville-Marie, avait fait le serment de planter une croix sur la montagne si la ville échappait à l'inondation qui la menaçait au moment de Noël. La forteresse fut sauvée, et Maisonneuve, fidèle à sa parole, fit ériger, le 6 janvier 1643, une première croix de bois au sommet du mont. Illuminée la nuit, l'immense croix métallique (hauteur : 36,6 m) qui se dresse au sommet du mont Royal depuis 1924 est visible à 50 km à la ronde l'hiver par beau temps.

Vue depuis le belvédère du chalet (parc du Mont-Royal).

84

Belvédère Camillien-Houde –
Excellent point de **vue**★★ sur l'est de
Montréal que domine la tour élancée
du Stade olympique, cette terrasse
d'observation permet aussi de distinguer
quelques collines montérégiennes
au sud et, au nord, les contreforts
des Laurentides.

Oratoire Saint-Joseph★★ A7

🜨 *Côte-des-Neiges. Chemin Queen Mary -
☏ 514 733 8211 - www.saint-joseph.org -
🍴♿🅿 - 7h45-21h (musée 10h-16h30) - 4 $
(6-17 ans 2 $).*
Érigée sur le versant nord-ouest du mont
Royal, cette basilique catholique reçoit,
chaque année, des millions de pèlerins.
La grande terrasse offre une **vue**
superbe sur le nord de Montréal et sur
les Laurentides qui s'élèvent à l'horizon.
Basilique★ – Cet édifice de style néo-
Renaissance, coiffé d'un dôme massif
octogonal au revêtement de cuivre,
s'élève à 154 m au-dessus de la ville.
Avec ses murs de granit et sa structure
de béton armé, il atteint 104 m de long,
64 m de large et 112 m de haut. Ce projet
d'envergure, commencé en 1924, connut
des difficultés techniques et financières
qui interrompirent le déroulement
des travaux. En 1936, le célèbre moine
bénédictin **Dom Paul Bellot** devint
architecte en chef du chantier et modifia
les plans intérieurs en adoptant un style
moderne. L'édifice fut achevé en 1967.
L'intérieur frappe par son austérité.
Les vitraux ont été dessinés par Marius
Plamondon. Les 56 cloches du **carillon**,

fondues à Paris, étaient destinées à être
installées sur la tour Eiffel.
Chemin de croix★ – À flanc de
montagne, il est ponctué de sculptures
de pierre polie d'Indiana taillées par
l'Italien Ercolo Barbieri.

Westmount BC7-8

Cette municipalité se situe sur le flanc
ouest du parc du Mont-Royal, au-dessus
de Montréal et du St-Laurent. Fondée
en 1874, cette charmante enclave
résidentielle fut longtemps le fief de la
bourgeoisie anglophone de Montréal.
Elle est parcourue de rues en pente
raide, bordées d'imposantes demeures,
certaines d'allure ultramoderne, d'autres
plus anciennes, en pierre ou en brique.
Du **belvédère de Westmount** *(entre
les nᵒˢ 18 et 36 de Summit Circle)*, la **vue**★
plonge sur les toits de belles résidences
et, plus bas, sur les trois tours de verre
et de métal de **Westmount Square**★
*(à l'angle de la r. Ste-Catherine et de l'av.
Green)*. Dessinées par **Mies van der
Rohe** en 1966, ces dernières abritent un
élégant complexe d'appartements, de
bureaux et de boutiques. La silhouette
du pont Victoria se profile dans
le lointain.

Outremont AB5

Lieu privilégié d'une certaine élite
francophone, cette municipalité, sur le
flanc nord du mont Royal, fait pendant à
celle de Westmount. Constituée en 1875,
elle recèle de somptueuses demeures et
de beaux espaces verts.

Centre-ville côté est★★

Longtemps négligée, cette partie de la ville a connu un brillant renouveau lors de la Révolution tranquille des années 1960, avec l'édification d'un gigantesque ensemble culturel. En 2007, la municipalité de Montréal décide de rénover et de compléter ce dispositif architectural en construisant de nouvelles infrastructures et en aménageant la zone en vaste secteur piétonnier pour l'accueil des nombreux festivals. Enfin, le nouveau Quartier des spectacles voit le jour en 2012.

➜**Accès :** 🕙 Place des Arts ou St-Laurent. Plan détachable EF6.

➜**Conseil :** renseignez-vous sur la programmation et achetez vos billets à l'avance ou le jour même (👆 p. 42).

Quartier des spectacles★★ E6

www.quartierdesspectacles.com
Côté nord de la rue Ste-Catherine, entre les rues Jeanne-Mance et St-Urbain, ce quartier est dédié à l'art sous toutes ses formes. Il s'articule sur 100 ha autour de la **place des Arts** avec pas moins de 30 salles de spectacle réparties dans différents édifices transformés en espaces publics. Certains sont dédiés aux festivals d'été de la ville, comme la **Maison Rio Tinto Alcan** au sud-ouest de la place, qui accueille les bureaux du Festival de jazz, une salle de concert et une galerie d'exposition. En été, la **place des Festivals**, décorée d'audacieux jeux de lumières et de fontaines intégrées dans le sol, devient une gigantesque scène à ciel ouvert animée jour et nuit. Des performances vidéo ou audio tiennent le pavé et se succèdent le long du boulevard de Maisonneuve sur la futuriste **promenade des Artistes**.

Place des Arts★★ E6

📞 514 842 2112 ou 866 842 2112 (billetterie - lun.-sam. 9h-20h) - www.laplacedesarts.com - 🍴 🅿.
Le plus grand centre culturel de la ville, où se côtoient les arts de la scène et les arts visuels, se composait à l'origine de plusieurs édifices : une imposante salle de concert, un complexe théâtral et un musée d'Art contemporain (👆 p. 88). Sont venus s'ajouter **La Vitrine** (👆 p. 42), la **Maison symphonique**, salle de l'Orchestre symphonique de Montréal, et l'**espace culturel Georges-Émile-Lapalme** (2011). Ce dernier constitue une place publique intérieure, lieu de passage équipé de salles d'exposition (dont un mur d'écrans pour les œuvres vidéo), de cafés, d'une billetterie et d'accès aux salles de spectacle.
Tous ces bâtiments se rassemblent autour d'une vaste **esplanade** aménagée, pleine d'animation : le quadrilatère extérieur. Plusieurs manifestations culturelles se tiennent

87

chaque année dans le quartier de la place des Arts, parmi lesquelles le célèbre Festival international de jazz.
Salle Wilfrid-Pelletier – Orné d'une élégante façade en ellipse toute en fenêtres et minces colonnes de béton, cet édifice (1963) abrite les **Grands Ballets canadiens** et l'**Opéra de Montréal**.
Complexe théâtral – Ce grand bâtiment (1967) rassemble trois salles polyvalentes. Les deux premières, le **théâtre Jean-Duceppe** et le **théâtre Maisonneuve**, sont superposées l'une au-dessus de l'autre. Un ingénieux système de ressorts, formant un plancher flottant pour le Maisonneuve à l'étage supérieur et un plafond suspendu pour le Jean-Duceppe à l'étage inférieur, les sépare. Au niveau du métro, le petit **Studio-Théâtre** complète l'ensemble. Entre les aires communes intérieures du complexe de la place des Arts et le hall du musée d'Art contemporain, la **Cinquième Salle**, construite en 1992, offre au public un théâtre polyvalent capable de changer de configuration selon la nature du spectacle donné.

Musée d'Art contemporain de Montréal★★ E6

185 r. Ste-Catherine Ouest - 514 847 6226 - www.macm.org - ⴺ🅿 - mar.-dim. 11h-18h (merc. 21h), nocturne 1er vend. du mois 17h-21h - fermé lun. sf j. fériés et été, 1er janv. et 25 déc. - 12 $ (-12 ans gratuit), merc. 17h-21h gratuit.
Érigé sur le côté ouest de la place des Arts, cet imposant édifice

(1992) abrite la seule institution du Canada exclusivement vouée à l'art contemporain. Parallèlement à ses expositions temporaires, le musée présente, dans plusieurs salles du premier étage, une sélection d'œuvres extraites de la collection permanente : peintures, sculptures, dessins, photographies et installations conceptuelles.
Les grandes tendances de l'art contemporain québécois, de 1939 à nos jours, y sont représentées à travers les créations de peintres de renom tels Paul-Émile Borduas, Jean-Paul Riopelle, Guido Molinari, Claude Tousignant ou encore Alfred Pellan, et de sculpteurs comme Ulysse Comtois et Armand Vaillancourt.
Le charmant **Jardin de sculptures** *(accès par le 1er étage - fermé en hiver)*, d'où l'on aperçoit le complexe de la place des Arts, est agrémenté d'œuvres monumentales.

Complexe Desjardins★ E6

www.complexedesjardins.com - lun.-vend. 9h30-21h, sam. 9h30-17h, dim. 10h-17h - fermé 25 déc. et 1er janv.
Cet austère ensemble architectural se compose de quatre tours encadrant un immense atrium intérieur de forme polygonale. Protégé des rigoureux hivers montréalais, ce vaste espace central se prête à toutes sortes d'expositions et manifestations culturelles. Il est entouré de trois niveaux de galeries le long desquelles s'alignent **boutiques** et **restaurants**.

Place Jean-Paul-Riopelle et Palais des congrès.

Complexe Guy-Favreau E6

200 bd René-Lévesque.
Achevé en 1984, il se compose de six structures communicantes comprenant des bureaux de l'administration fédérale, des appartements et des commerces. Le revêtement extérieur en brique rouge fait ressortir la beauté de l'atrium dans lequel pierre et acier inoxydable créent un harmonieux contraste. Il est relié au complexe Desjardins.
À l'extérieur, un **jardin** parsemé de fontaines et de sculptures offre au passant un endroit où se reposer à l'écart de l'animation des trottoirs.

Palais des congrès de Montréal★ E6

Construit en 1983, le bâtiment accueille chaque année toutes sortes de conférences et salons. Depuis son agrandissement réalisé en 2002 par l'architecte **Mario Saia**, sa façade se présente comme un patchwork de 332 panneaux de verre colorés et 58 transparents évoquant la diversité des aspects de la créativité québécoise.

Quartier chinois★ EF6

Il se trouve au cœur d'un carré délimité par la rue Jeanne-Mance à l'ouest, le boulevard St-Laurent à l'est et les rues de part et d'autre de la rue de la Gauchetière.
Les premiers ressortissants chinois à s'établir à Montréal arrivèrent dans les années 1860. Ils fuyaient l'impitoyable

dureté du travail dans les mines d'or ou les chantiers de construction des chemins de fer de l'Ouest américain. Aujourd'hui, beaucoup d'habitants du secteur ont quitté leur ancien lieu de résidence pour aller s'installer ailleurs en ville. Pourtant, avec ses restaurants odorants et ses étalages garnis de produits exotiques, ce Chinatown fort animé demeure encore, pour la communauté orientale de Montréal, un véritable point de rencontre, et pour le visiteur, un pittoresque but de promenade.

Maison Wing – *1009 r. Côté, donnant sur le Palais des congrès.* Construite en 1826, c'est l'une des plus anciennes maisons du quartier. Elle abrite aujourd'hui une fabrique spécialisée dans les « petits-fours horoscope » ; ces biscuits renfermant une prédiction sont destinés aux restaurants chinois de la ville.

Rue St-Urbain – *Sur la gauche en descendant vers le sud.* Des compositions murales illustrent de fameuses légendes, comme celle du Roi-Singe.

Rue de la Gauchetière – Remarquez les deux arches élevées en 1963 au-dessus de cette rue, ornée par ailleurs d'une série de médaillons de bronze symbolisant les vertus chinoises.

Parc Sun Yat-Sen – *À l'angle de la rue Clark.* Ce petit parc dédié à **Sun Yat-sen** (1866-1925), philosophe et révolutionnaire considéré comme le fondateur de la Chine moderne, vient apporter à l'endroit une touche de verdure.

Quartier latin★

Si le Quartier latin montréalais n'a pas vécu les mêmes tumultes que son cousin parisien, il s'est néanmoins retrouvé au cœur de la Révolution tranquille des années 1960. L'université de Montréal qui s'y était implantée dès la fin du 19ᵉ s. déménage en 1970 et laisse place à l'Université du Québec à Montréal. Les étudiants qui fréquentent assidûment les nombreuses terrasses de café, ainsi que la foule de touristes continuent d'animer la portion de la rue St-Denis entre le boulevard de Maisonneuve et la rue Sherbrooke.

➜ **Accès :** ⏾ Berri ou Sherbrooke. Plan détachable EF5.

➜ **Conseil :** le nouveau bâtiment de la Bibliothèque nationale est un incontournable pour son architecture. L'accès au dernier étage par l'ascenseur offre un somptueux panorama sur le quartier et au-delà ; le carré St-Louis, entouré de séduisantes bâtisses victoriennes, demeure le plus plaisant square de la ville.

Carré Saint-Louis★ E5

R. St-Denis, entre la r. Sherbrooke et l'av. des Pins.

Vers la fin du 19ᵉ s., la bourgeoisie francophone, séduite par le calme de l'endroit, vint s'installer dans le quartier, d'où la présence, tout autour de la place, de belles résidences victoriennes, avec leur toiture très ouvragée. Devenu par la suite lieu de prédilection des artistes et poètes québécois (Louis Fréchette, Émile Nelligan et, plus récemment, Gaston Miron y habitèrent), le carré St-Louis s'afficha, dans les années 1970, comme centre du mouvement nationaliste. Il continue aujourd'hui d'attirer écrivains, musiciens, cinéastes et comédiens québécois d'expression francophone.

Rue Prince-Arthur E5-6

Cette petite **rue piétonne**, dont le nom évoque le souvenir du prince Arthur, troisième fils de la reine Victoria et gouverneur général du Canada de 1911 à 1916, fut le centre très couru de la Révolution tranquille. Ses trottoirs, bordés de restaurants (grecs, italiens), sont animés, à la belle saison, de musiciens, saltimbanques et portraitistes.

Rue Saint-Denis★ AE3-5

Le quartier, jadis occupé par toute une bourgeoisie francophone, a conservé de belles maisons victoriennes. Au début du 20ᵉ s., plusieurs institutions d'enseignement supérieur telles que l'École polytechnique, l'École des hautes études commerciales *(pl. Viger)* et l'université de Montréal s'installèrent ici, et les environs de la rue St-Denis acquièrent peu à peu le surnom de Quartier latin. Le **théâtre St-Denis** fit son apparition vers la même époque. Pour répondre aux besoins de la population estudiantine, les anciennes demeures bourgeoises furent alors divisées en logements plus petits. Le transfert de l'université de Montréal sur le versant nord du mont Royal allait avoir de graves conséquences sur l'économie du quartier, mais la Révolution tranquille lui apporta un second souffle. Bistrots, restaurants intimes, petites boutiques et librairies proliférèrent, ramenant une clientèle jeune. Aujourd'hui, la rue St-Denis est devenue l'un des lieux favoris de nombreux Montréalais et touristes. Cette artère animée est bordée de galeries d'art, de boutiques à la mode et de restaurants dont les terrasses, à la belle saison, empiètent sur les trottoirs.

CinéRobothèque E5

1564 r. St-Denis - ℘ 514 496 6887 - www.onf.ca/cinerobotheque - tlj sf lun. 12h-21h - tarif selon les projections.
Quelque 10 000 films sont à disposition dans ce temple du cinéma canadien, alimenté depuis treize ans par les collections de l'**Office national du film**. Le principe est simple : on s'assied, on sélectionne le film à voir sur un écran tactile, et la séance commence.

Cinémathèque québécoise E5

335 bd de Maisonneuve Est - ℘ 514 842 9763 - www.cinematheque.qc.ca - expositions : mar. 12h-18h, merc.-vend. 12h-20h, w.-end 16h-20h ; projections : à partir de 17h - expositions gratuites, projections 7 $.
Fondée en 1963, la Cinémathèque québécoise conserve et rend public le patrimoine cinématographique

et télévisuel, aussi bien national qu'international. Elle propose des expositions temporaires sur le cinéma, le film d'animation ou la télévision. Elle présente aussi la **collection permanente Moses Znaimer** (en son temps, ce pionnier lança les premières chaînes indépendantes canadiennes). Il s'agit du plus important fonds de téléviseurs anciens au Québec, soit 96 postes !

Bibliothèque nationale du Québec E5

475 bd de Maisonneuve Est - ℘ 514 873 1100 ou 800 363 9028 - www.banq.qc.ca - mar.-vend. 10h-22h, w.-end 10h-18h - audioguide, visite guidée dim. 1h30, horaires variables - fermé lun. - gratuit.
Quatre millions de documents (livres, microformes, revues, journaux, DVD…), 33 000 m^2 : la Grande Bibliothèque impressionne. La visite guidée permet d'en découvrir les recoins et d'admirer la structure de verre dépoli, de béton, de céramique et de bois. Cinq espaces accueillent des expositions temporaires, réalisées à partir des collections du site.

Université du Québec à Montréal (UQAM) EF5

Traversée par la rue St-Denis, la partie principale du campus s'étend du boulevard de Maisonneuve, au nord, jusqu'au boulevard René-Lévesque, au sud. Fondé en 1969, ce campus se compose de bâtiments modernes intégrés à des éléments plus anciens.

Rue Saint-Denis (Quartier latin).

L'un d'entre eux occupe le site de l'**église St-Jacques**, édifice de style néogothique dessiné par John Ostell en 1852, dont il ne reste que la façade du transept sud *(r. Ste-Catherine)* et le clocher *(r. St-Denis)*, le plus haut de Montréal (flèche : 98 m).

Le Village F4-5

À l'est du Quartier latin s'étend Le Village, où la station de métro Beaudry affiche les couleurs de l'arc-en-ciel que l'on retrouve partout alentour. Cependant, le quartier gay de Montréal est à l'image de la ville : ouvert à tous, et les fêtards apprécieront les lieux de sortie. Ici l'animation ne manque pas, particulièrement fiévreuse la première quinzaine d'août ponctuée par le festival Divers/Cité, puis la semaine célébrant la Fierté Montréal. C'est un flot de population variée qui arpente la rue Ste-Catherine, entre la rue Berri et l'avenue Papineau, portion rendue piétonne de juin à septembre.

Écomusée du Fier-Monde E5

2050 r. Amherst (à l'angle de la r. Ontario Est) - 514 528 8444 - www.ecomusee. qc.ca - merc. 11h-20h, jeu.-vend. 9h30-16h (juil.-août 17h), w.-end 10h30-17h - fermé lun.-mar. - 8 $ (enf. 6 $).
Joseph-Omer Marchand se serait inspiré de la piscine de la Butte-aux-Cailles (1927) à Paris pour dessiner le **Bain Généreux★** : poutres cintrées, claires-voies, murs latéraux sont en effet similaires. Inauguré en 1927, le bâtiment accueillit les baigneurs jusqu'en 1993. Deux ans plus tard, l'architecte Felice Vaccaro se vit confier sa rénovation et son réaménagement. L'exposition permanente relate l'**histoire industrielle et ouvrière** qui a forgé l'identité du quartier. Les expositions temporaires du rez-de-piscine sont souvent en lien avec l'actualité du quartier.

Prison des Patriotes F4

Papineau. À la sortie du métro, suivez à gauche la r. Ste-Catherine. Passez sous le pont Jacques-Cartier et traversez l'av. de Lorimier, que vous descendrez vers le sud. 903 av. de Lorimier - 514 254 6000 - www.mndp.qc.ca - merc.-vend. 12h-17h, w.-end 9h30-17h - fermé lun.-mar. - gratuit.
Aujourd'hui occupée par la **Société des alcools du Québec** (SAQ), l'ancienne prison du Pied-Courant (1831-1840) a conservé sa façade originale côté St-Laurent. Ne manquez pas d'y jeter un coup d'œil avant de rentrer par le côté ouest du bâtiment. Le sous-sol de l'édifice néoclassique a été aménagé de façon à présenter le plus clairement possible les enjeux liés au mouvement patriote du Bas-Canada.

Plateau Mont-Royal★

Autrefois berceau de la population ouvrière francophone, le « Plateau » a longtemps attiré artistes et intellectuels, séduits par les charmantes maisons bon marché (en triplex avec escalier métallique extérieur) à proximité du centre-ville et du parc Lafontaine. Suite à la flambée des loyers dans les années 2000, une population plus fortunée se retrouve désormais sur l'avenue du Mont-Royal, dans les nombreux restaurants et commerces de bouche. Au nord-ouest, la cote des terrasses de café du cosmopolite Mile End ne cesse de monter…

➔**Accès :** ⏱ Sherbrooke, Mont-Royal ou Laurier. Plan détachable CD4-5.

➔**Conseil :** arpentez le parc Lafontaine à pied ou à vélo et prévoyez une pause pique-nique avec les écureuils. Au croisement entre l'avenue du Parc et l'avenue Bernard, découvrez le cœur du Mile End.

Avenue du Mont-Royal CE3-5

On y sent l'influence francophone (cafés, croissanteries, librairies spécialisées en littérature) : c'est d'ailleurs dans cette partie de Montréal que choisissent souvent de s'installer les nouveaux arrivants d'origine française.
Au sud, la rue Rachel qui lui est parallèle mène au **parc Lafontaine**, réputé pour ses plans d'eau, l'ombre de ses arbres et son théâtre de verdure.

Mile End BC4-5

L'implantation d'entreprises internationales au tournant des années 2000 a donné un coup de jeune à ce quartier jadis populaire. L'avenue Fairmount en marque la limite sud, et le viaduc de la voie rapide, contre lequel s'élève un entrepôt de brique coiffé de l'antique château d'eau symbole du quartier, la limite nord. L'essentiel de l'activité se concentre autour des **avenues St-Viateur** et **Bernard**,

et dans les voies perpendiculaires plantées d'arbres dont les maisons arborent les si montréalais escaliers métalliques en spirale. Le quartier conserve sa diversité : la population branchée nouvellement arrivée côtoie les représentants de la communauté juive hassidique vêtus de l'habit traditionnel et les Grecs établis sur l'avenue du Parc.

95

Petite Italie AB3-4

Autour de la partie supérieure du boulevard St-Laurent, elle est un peu le pendant nord du Quartier chinois. De la même façon, son périmètre est marqué de portails qui enjambent les rues. Magasins et cafés côtoient pizzerias et trattorias – où l'italien est de mise –, parmi les meilleures de la ville. Son principal attrait demeure l'immense **marché Jean-Talon**, l'un des préférés des Montréalais, avec, aux beaux jours, ses étals débordants de fruits et légumes et autres victuailles (➔ p. 49).

Hochelaga-Maisonneuve★★

Repérable de toute la ville avec sa célèbre tour inclinée du Stade olympique, ce quartier accueille le plus grand complexe muséographique du Canada lié aux sciences de la nature : Biodôme, Jardin botanique, Insectarium, et nouvellement Planétarium. Plus au sud, autour du très animé marché Maisonneuve, se détachent de l'habitat traditionnel d'élégants bâtiments de style Beaux Arts édifiés au début du 19ᵉ s. par la bourgeoisie québécoise francophone.

➜**Accès :** ⏱ Pie IX ou Viau. Hall touristique (point de départ des visites et du funiculaire) au pied de la tour. Un service de navettes gratuit dessert le Jardin botanique et le Biodôme. Plan détachable EF1-2.

➜**Conseil :** prévoyez une demi-journée pour visiter l'immense Jardin botanique, les plus beaux parterres se trouvent loin de l'entrée. Le soir, en été, assistez à un concert de musique classique ou de jazz au restaurant du jardin. La tour du Stade olympique vaut vraiment le coup d'œil : elle permet d'apercevoir les neufs collines montérégiennes (mont Royal compris) de la région de Montréal.

Parc olympique★★ F1

✆ 514 252 4141 - www.rio.gouv.qc.ca - ♿🅿 - 10h-17h ; visite guidée (40mn) - 9 $ (5-17 ans 4,50 $).

Pour accueillir les Jeux olympiques d'été en 1976, de gigantesques installations sportives, réparties sur un terrain d'une superficie de 55 ha, furent construites au cœur de la partie est de Montréal, dans l'ancienne ville de Maisonneuve. Ce complexe, véritable monument de béton à la gloire du sport, pour avoir été le projet public le plus controversé de la ville, n'en constitue pas moins une remarquable réalisation architecturale. Seuls le stade, le vélodrome et le village olympique furent achevés à temps pour les Jeux. D'un coût phénoménal (1,5 milliard de dollars), le chantier resta longtemps inachevé et maintes

difficultés techniques retardèrent la construction de la tour.

Observatoire de la Tour de Montréal F1

✆ 514 252 4141 - www.rio.gouv.qc.ca - ♿🅿 - juin-sept. 9h-22h ; reste de l'année lun. 13h-17h, mar.-dim. 9h-17h - fermé de déb. janv. à mi-fév. - 16 $ (5-17 ans 9 $) ; billet combiné avec la visite du Stade 22 $ (5-17 ans 11 $).

Membre de la Fédération des grandes tours du monde, cette immense structure (175 m de hauteur) est l'un des éléments les plus distinctifs du paysage montréalais. Achevée en 1987, elle se compose d'un socle bombé en béton destiné à recevoir la charge de la partie supérieure en acier, inclinée à 45° au-dessus du toit rétractable. Un funiculaire extérieur permet d'accéder au sommet d'où le **panorama★★★** porte, par temps clair, jusqu'à 80 km. L'étage inférieur de l'observatoire renferme un **centre d'interprétation**, dont les expositions sont axées sur l'histoire et la construction du Parc olympique.

Biodôme★ F1

4777 av. Pierre-de-Coubertin - 514 868 3000 - www.biodome. qc.ca - ⚷ ♿ 🄿 - de fin juin à déb. sept. : 9h-18h ; reste de l'année : tlj sf lun. 9h-17h - 17,75 $ (5-17 ans 9 $), forfait Biodôme + Tour olympique 29,50 $ (5-17 ans 15 $), Biodôme + Insectarium + Jardin botanique 31,50 $ (5-17 ans 15 $).
Construit pour les épreuves olympiques de cyclisme, le **bâtiment★** (à la forme d'un casque) abrite un musée vivant de l'Environnement et des Sciences naturelles depuis 1992. Un sentier d'interprétation traverse quatre écosystèmes : dans

la torride **forêt tropicale humide**, végétation luxuriante et faune variée ; dans l'**érablière des Laurentides** s'activent castors, loutres et lynx ; dans le **golfe du St-Laurent** nagent toutes sortes de poissons et d'invertébrés marins ; les rivages glacés des **régions subpolaires** sont peuplés d'oiseaux marins.

Planétarium Rio Tinto Alcan F1

4777 av. Pierre-de-Coubertin - 514 872 4530 - www.planetarium. montreal.qc.ca - se renseigner.
Les deux structures circulaires du nouveaux planétarium rappellent de grands télescopes d'observation. Elles abritent deux théâtres d'immersion ultramodernes qui vous entraînent au milieu des étoiles et des galaxies pour mieux les comprendre. Trois salles d'animations multimédia et une exposition complètent l'installation.

97

LE SYMBOLE DU REFUS DE L'ANNEXION À MONTRÉAL

*En 1883, les principales figures de la bourgeoisie canadienne française créèrent la **communauté de Maisonneuve** à 10 km de Montréal, en vue d'en faire une cité modèle capable de rivaliser avec sa puissante voisine, alors dominée par une riche élite anglophone. Après 1896, Maisonneuve connut un formidable essor économique en se spécialisant dans l'industrie de la chaussure et des textiles, dans la boulangerie et la confiserie, et dans la construction navale. Pour ajouter à sa prospérité, la ville lança un ambitieux programme d'urbanisme (reposant sur les canons du mouvement américain « City Beautiful »), dans le cadre duquel furent réalisés l'immense parc Maisonneuve, de grands boulevards et de prestigieux bâtiments, dont le fameux château Dufresne. Toutefois, le coût exorbitant de son développement, combiné à la récession entraînée par la Première Guerre mondiale, mena Maisonneuve à la faillite et à son annexion, en 1918, à la ville de Montréal.*

Château Dufresne F2

2929 av. Jeanne-d'Arc - ℘ 514 259 9201 - www.chateaudufresne.qc.ca - ＆ - merc.-dim. 10h-17h - fermé lun.-mar. et du 24 déc. à la 1ʳᵉ sem. janv. - 9 $ (5-17 ans 5 $).

Cet hôtel particulier symbolise la politique de grandeur qui devait mener la ville de Maisonneuve à sa faillite (**ℰ** *encadré p. 97*). Il fut construit entre 1915 et 1918 pour deux figures de la bourgeoisie française canadienne : les frères Oscar (industriel de la chaussure) et Marius (architecte et ingénieur civil) Dufresne. Inspirée du style Beaux-Arts alors en vogue en Amérique du Nord, sa façade symétrique est flanquée de huit colonnes ioniques. Deux ailes identiques abritent au total 44 pièces, dont une douzaine se visitent. Les murs lambrissés et le raffinement du décor évoquent la richesse montréalaise dans les années 1920-1930. La **résidence Marius Dufresne** *(partie ouest)* se caractérise par l'emploi du chêne et de boiseries néoclassiques. Dominée par l'acajou d'Afrique et les marbres d'Italie, la **résidence Oscar Dufresne** *(partie est)* renferme des **peintures murales★** de Guido Nincheri (1885-1973).

Jardin botanique de Montréal★★ EF1

4101 r. Sherbrooke Est - ℘ 514 872 1400 - www.museumsnature.ca - ✕ ＆ 🅿 - de mi-mai à déb. sept. : 9h-18h ; de déb. sept. à mi-nov. 9h-21h ; reste de l'année : mar.-dim. 9h-17h - mai-oct. 17,75 $ (5-17 ans 9 $) ; nov.-avr. : 15,75 $ (5-17 ans 8 $).

Créé en 1931 par le frère Marie-Victorin (1885-1944), c'est l'un des plus beaux jardins botaniques du monde. Sur un terrain de 75 ha, dont 40 ha occupés par un **arboretum**, poussent plus de 21 000 espèces de plantes provenant des quatre coins de la planète. Outre les **serres d'exposition★**, il comprend de nombreux jardins thématiques. Ne manquez pas le **jardin de Chine★**, authentique reconstitution d'un jardin classique sous la dynastie des Ming (14ᵉ-17ᵉ s.). Les amateurs de bonsaïs apprécieront le **jardin japonais**.

Centre de la Biodiversité – Ce bâtiment de verre écoresponsable abrite une salle où sont présentées des expositions temporaires évoquant la biodiversité sous toutes ses formes.

Insectarium de Montréal – *4581 r. Sherbrooke Est.* Cet édifice, qui épouse la forme d'un insecte géant, renferme une impressionnante collection d'insectes du monde entier (près de 150 000 spécimens). Expositions thématiques, vitrines d'observation et consoles interactives. En été, la volière extérieure s'anime sous les délicats battements d'ailes de papillons.

Parc Maisonneuve E1

Il englobe une piste cyclable, une aire de pique-nique et un endroit où se restaurer. En été, c'est un lieu de détente familial, très apprécié pour ses espaces ombragés et ses promenades. En hiver, une patinoire illuminée et cinq longues pistes de ski de randonnée attendent les sportifs.

Jardin de Chine (Jardin botanique de Montréal).

Parc Jean-Drapeau★

Véritable poumon vert de la ville, les îles Sainte-Hélène et Notre-Dame sont de plus en plus fréquentées par les Montréalais désireux de rompre avec le rythme urbain effréné et la circulation automobile. Été comme hiver, on y pratique le farniente, la marche à pied, le vélo, la baignade, le patin à glace ou le « patin à roues alignées », dans la plus grande quiétude. À cheval sur les deux îles, le parc Jean-Drapeau permet surtout d'observer Montréal dans toute sa splendeur avec le recul du fleuve.

→**Accès :** ♿ Jean-Drapeau. Service d'autobus gratuit au départ de la station de métro. Plan détachable GH4-7.

→**Conseil :** les stations Bixi (♿ *p. 16*) sont bien présentes sur les îles, cela permet d'y accéder à vélo depuis le centre-ville en prenant la rue Mill, l'avenue Pierre-Dupuy (Habitat 67), puis le pont de la Concorde. Autre itinéraire plus sportif et plus bruyant, mais offrant une jolie vue : suivez, depuis l'avenue de Lorimier, la voie protégée sur le pont Jacques-Cartier. De mi-janvier à fin mars, l'Île Ste-Hélène accueille le Village des neiges *(www.villagedesneiges.com)*, ensemble de constructions en glace (bar, restaurant, hôtel et reproductions de monuments).

Île Sainte-Hélène★ GH4-6

La quasi-totalité de l'île est un **jardin public**, apprécié pour ses pistes de ski de randonnée en hiver, et pour ses piscines découvertes en été. La route qui longe sa rive ouest offre de très belles **vues**★ sur Montréal et sur ses installations portuaires.

Musée David M. Stewart★ – ℘ 514 861 6701 - www.stewart-museum. org - ✻ 🅿 - *merc.-dim. 11h-17h - fermé lun.-mar. et j. fériés - 13 $ (-6 ans gratuit).* En 1818, Ste-Hélène fut vendue au gouvernement britannique qui y fit construire un arsenal fortifié. Ce dernier abrite un musée qui évoque cinq siècles d'histoire québécoise à travers 500 objets puisés dans une riche collection qui en compte près de 27 000, parmi lesquels quelques belles cartes.

Biosphère, musée de l'Environnement★ – ℘ 514 283 5000 - www.ec.gc.ca/biosphere - ✻🅿 - *juin-oct. : 10h-18h ; nov.-mai : tlj sf lun. 10h-17h - 12 $ (-17 ans gratuit).* Le dôme géodésique de Buckminster Fuller constitue un souvenir architectural unique de l'**Expo 67**. Construite pour recevoir le pavillon des États-Unis, cette immense structure tubulaire accueille aujourd'hui un centre d'observation axé sur le thème de l'eau et de l'écosystème du St-Laurent et des Grands Lacs. Plusieurs expositions permanentes se penchent sur les questions d'environnement. Le belvédère extérieur offre une **vue**★ sur le fleuve, Longueuil, le pont Victoria et le centre-ville.

La Ronde – ℘ 514 397 2000 - www.laronde.com - ✻🅿 - *juin-août : 11h-20h ; mai et sept.-oct. : w.-end 11h-18h*

UNE ÎLE TRÈS CONVOITÉE

Samuel de Champlain *nomma cette île du St-Laurent en l'honneur de sa femme, Hélène Boulé. Jusqu'à son intégration à la* **seigneurie de Longueuil,** *en 1665, cette petite étendue de terre était pour les Amérindiens, alors en lutte contre l'envahisseur européen, d'une grande importance stratégique. Après la Confédération, en 1867, l'île Ste-Hélène devint la propriété du gouvernement canadien puis, au début du 20e s., de* **la Ville de Montréal.** *En 1967, Ste-Hélène fut agrandie afin d'accueillir – comme sa voisine, Notre-Dame – l'Exposition universelle.*

(horaires indicatifs, se renseigner) - fermé nov.-avr. - 45 $. Principal parc d'attractions de Montréal, La Ronde bénéficie d'un merveilleux site à l'extrémité est de l'île de Ste-Hélène. De là sont lancés des feux d'artifice à l'occasion de l'International des feux Loto-Québec.

Île Notre-Dame★ H5-7

Créée de toutes pièces en 1959 pour la voie maritime du St-Laurent, cette île a été agrandie par remblayage pour l'Exposition universelle de 1967 en utilisant la terre d'excavation du métro en construction. L'île actuelle couvre 116 ha. De l'**Expo 67**, il reste l'ancien pavillon de la France. Conçue par l'architecte français Jean Faugeron, cette étonnante structure hérissée de flèches d'aluminium abrite désormais le **casino**. En 1978, le **circuit Gilles-Villeneuve** y fut construit pour le Grand Prix Player's du Canada.

En été, le **lac de l'île Notre-Dame** accueille passionnés de voile, véliplanchistes et nageurs sur ses 600 m de plage.

Jardins des Floralies – ✆ 514 872 6120 - www.parcjeandrapeau.com - ✗ 🅰 🅿 - 6h-0h - gratuit. Ce parc floral abrite de superbes jardins *(floraison mai-sept.)* qui furent aménagés à l'occasion des Floralies internationales de 1980.

101

Cité du Havre FG7

Construite à l'origine pour protéger le port, cette péninsule artificielle relie Montréal à l'île Ste-Hélène par le **pont de la Concorde**. Parmi les constructions édifiées pour l'Expo 67 se trouve **Habitat 67★**, complexe résidentiel à l'allure futuriste qui lança la carrière internationale de son architecte, **Moshe Safdie**, également connu pour le musée des Beaux-Arts du Canada, à Ottawa, et le musée de la Civilisation, à Québec.

Pôle des Rapides

Sur plus de 10 km, une piste cyclable, très empruntée en fin de semaine par les Montréalais, longe le canal de Lachine, reliant ainsi les arrondissements de Verdun, LaSalle et Lachine. Si les berges de la voie d'eau sont très appréciées par les touristes, le précieux patrimoine architectural à l'intérieur des quartiers de Lachine, de la Petite-Bourgogne et de St-Henri reste à tort méconnu.

➜**Accès :** ⏱ Lionel-Groulx, Georges-Vanier, Atwater, Place St-Henri, Charlevoix, Angrignon.

➜**Conseil :** de la station de métro Georges-Vanier, rejoignez à pied le canal de Lachine au sud en traversant le quartier de la Petite-Bourgogne, par les rues Coursol et Vinet bordées de charmantes maisons ; au retour, remontez un peu plus à l'ouest par la rue St-Augustin, jusqu'au square St-Henri.

Canal de Lachine★ DF7-8

Aujourd'hui désaffecté, le canal (⏱ *encadré ci-dessous*) forme un long couloir récréatif d'une dizaine de kilomètres. Une piste cyclable très agréable, longeant les anciens entrepôts de Montréal et de Verdun, relie le Vieux-Port à Lachine. L'hiver, elle se transforme en sentier de ski de fond.
Pour une découverte du canal, pensez à la croisière (⏱ *p. 17*).

Marché Atwater D8

138 av. Atwater - lun.-merc. 7h-18h, jeu. 7h-19h, vend. 7h-20h, w.-end 7h-17h.
Avec son architecture Art déco, il séduit les « bobos bio ». C'est le plus biodynamique des marchés verts de la ville, proposant fruits, légumes… sans OGM ni pesticides. L'été, la halle s'entoure de terrasses de dégustation et restauration, où les amateurs de bons produits du terroir se retrouvent.

UN OBSTACLE À L'EXPLORATION VERS L'OUEST

*À la sortie du **lac St-Louis**, le St-Laurent subit, sur une distance de 2 km, un changement de dénivellation de 2 m. Aujourd'hui domestiqués, les célèbres **rapides** n'en sont pas moins impressionnants, et l'on peut imaginer les difficultés qu'ils posèrent jadis aux explorateurs désireux de les franchir. Dès 1680, le supérieur des Messieurs de St-Sulpice, Dollier de Casson, suggéra le percement d'un **canal** pour contourner ces eaux tumultueuses. Ce n'est pourtant qu'en 1821 que le projet fut mis en chantier. Achevé en 1824, cet ouvrage de 13,6 km de long ponctué de **7 écluses** allait relier le lac St-Louis au **port de Montréal**. Il fut élargi deux fois, de 1843 à 1849 et de 1873 à 1884, et jusqu'à l'ouverture de la voie maritime du St-Laurent en 1959, il demeura la seule voie à contourner les rapides.*

Canal de Lachine.

102

Lachine Hors plan

Ce paisible arrondissement des rives du St-Laurent possède un riche passé étroitement lié au développement de la colonie française et à l'évolution commerciale et industrielle de la province. En 1667, les sulpiciens octroyèrent une seigneurie à l'explorateur **Robert Cavelier de La Salle** à l'endroit où le fleuve forme le lac St-Louis. Le fief fut bientôt surnommé « la Chine » par dérision, car La Salle avait cru qu'en remontant le St-Laurent il découvrirait le fameux passage vers l'Asie mystérieuse. Très vite, la localité devint un poste de défense de Ville-Marie, ancien nom de Montréal.

Bureau d'accueil touristique – *500 chemin des Iroquois - Lachine - ☏ 514 364 4490 - www.poledesrapides. com - de fin juin à mi-oct. : 10h-18h ; reste de l'année : lun.-vend. 9h-17h.* Installé sur l'**écluse n° 5** du canal de Lachine, à l'entrée de l'arrondissement, ce centre propose de la documentation et une exposition permanente sur le canal. Boutique et cafétéria.

Musée de Lachine Hors plan

🕐 *Angrignon ; bus n° 120. À l'écart du bd LaSalle, à gauche juste avant de traverser le canal. 1 chemin du Musée - ☏ 514 634 3478 - lachine.ville.montreal. qc.ca/musee - avr.-nov. : merc.-dim. (et mar. en juil.-août) 12h-17h - gratuit.* Aujourd'hui connu sous le nom de **maison LeBer-LeMoyne**, l'édifice qui abrite le musée fut construit entre 1669 et 1671 par Charles Le Moyne et Jacques

Le Ber, deux des premiers marchands à s'établir à Lachine pour y pratiquer la traite des peaux de castor. Cette maison en bois, remaniée au 19e s. par les Anglais, est l'une des plus anciennes de Montréal encore intactes. L'intérieur contient des meubles et des outils d'époque, ainsi que des documents relatant l'histoire de la ville. Une structure moderne adjacente (le pavillon Benoît-Verdickt) propose des expositions itinérantes d'artistes québécois contemporains reconnus.

Musée plein air de Lachine Hors plan

Ce musée occupe trois zones d'espaces verts qui se répartissent sur quelque 4 km le long de la berge du **lac St-Louis** et rassemblent des sculptures contemporaines choisies parmi la cinquantaine que possède le musée de Lachine. Une quinzaine d'œuvres sont visibles sur le terrain qui jouxte le musée de Lachine. Une vingtaine sont réunies dans le parc René-Lévesque situé sur la péninsule du lac.
De la pointe de la péninsule, admirez le St-Laurent à sa sortie du lac St-Louis, la ville de Lachine et, en aval, les ponts qui traversent le fleuve.

Lieu historique national du Canada du Commerce-de-la-Fourrure-à-Lachine★ Hors plan

🕐 *Angrignon, puis bus n° 195 ou n° 173 (lun.-vend.). 1255 bd St-Joseph, face à la 12e Av. et au collège Ste-Anne - ☏ 514 637 7433 - www.pc.gc.ca -*

juil.-août : 9h30-17h ; de mi-mai à fin juin et de déb. sept. à mi-oct. : merc.-dim. 9h30-17h - 3,90 $ (enf. 1,90 $).

Le vieux hangar de pierre qui servit d'entrepôt à fourrures de 1803 à 1859 fait maintenant revivre l'épopée montréalaise de la fourrure. Le visiteur circule parmi les ballots, les caisses de marchandises et identifie les étapes de l'histoire de ce commerce. On y trouve des cartes des territoires de piégeage et des postes de traite qui appartenaient à la Compagnie du Nord-Ouest et à la Compagnie de la baie d'Hudson. Il fut un temps où près de 80 % des fourrures exportées en Europe passaient d'abord par Lachine, avant la fusion de ces deux compagnies en 1821.

Parc des Rapides Hors plan

Lieu de prédilection de centaines d'oiseaux migrateurs, cet immense parc situé dans l'arrondissement de **LaSalle**, est également le lieu idéal pour observer prudemment le long des berges les impressionnants rapides de Lachine. Pour une descente palpitante sur le fleuve, testez Saute-Moutons (♿ *p. 17*).

Salle Wilfrid-Pelletier (Place des Arts).

M. Sanchez / MICHEL

Pour en savoir plus

107

Montréal au fil du temps

L'origine de Montréal

Les **Mohawks**, de la nation iroquoise, habitaient l'île de Montréal bien avant que les premiers Européens ne viennent s'établir en Amérique du Nord. En 1535, **Jacques Cartier**, à la recherche de mines d'or et d'une route menant vers la Chine, débarqua dans l'île et visita le village d'**Hochelaga**, au pied du mont Royal. L'histoire veut que Cartier, ayant escaladé celui-ci avec sa troupe, soit resté émerveillé devant le panorama qui s'offrait à sa vue et se soit exclamé : « C'est un mont réal. »

La version de l'historien Gustave Lanctot est bien différente. Ce nom aurait été donné à l'endroit par Cartier « en l'honneur du cardinal de Médicis, évêque de la ville de Monreale en Sicile ». En 1611, **Samuel de Champlain**, le « père de la Nouvelle-France », remonta le St-Laurent à partir de Québec, qu'il venait de fonder. Hochelaga n'existait plus, et Champlain envisagea d'établir une colonie sur l'île Ste-Hélène. Mais ce projet ne se concrétisa pas.

Le 17ᵉ siècle

En France, l'époque est marquée par de grands desseins d'évangélisation. L'Église catholique espérait recouvrer le terrain perdu lors de la Réforme. Certains virent dans la **colonisation** un moyen de propager la foi. Deux Français, Jérôme Le Royer de la Dauversière et Jean-Jacques Olier (qui venait de fonder à Paris, en 1641, l'ordre des

Sulpiciens), eurent simultanément l'idée d'envoyer une mission sur l'île de Montréal. Ils réunirent des fonds et choisirent **Paul de Chomedey, sieur de Maisonneuve**, pour diriger l'établissement qu'ils décidèrent de nommer **Ville-Marie**. Maisonneuve et une quarantaine de ses compagnons franchirent donc l'Atlantique en 1641. Ils passèrent l'hiver à Québec et débarquèrent sur l'île de Montréal en mai 1642. Bien qu'animés de grands idéaux, ils se heurtèrent à l'hostilité des Amérindiens et durent combattre ceux qu'ils étaient venus évangéliser. Les hostilités durèrent jusqu'à la signature d'un traité de paix avec les Iroquois, en 1701.

Le 18ᵉ siècle

Malgré l'échec de la tentative d'évangélisation, Ville-Marie (appelée par la suite Montréal) se développa grâce au **commerce des fourrures**. Des explorateurs partirent sur les Grands Lacs et leurs affluents, et revinrent chargés de pelleteries. La demande était très forte en Europe où les peaux d'animaux entraient dans la confection de vêtements de luxe. Au moment de la **Conquête anglaise**, la ville était bien établie, comptant de nombreux marchands et plusieurs fermes.

La défaite

Après la reddition de Québec en 1759, les **troupes anglaises** du général Jeffery Amherst marchèrent sur Montréal. En 1760, le chevalier de Lévis s'apprêtait à défendre la ville lorsque son gouverneur, le marquis de Vaudreuil, lui ordonna de se rendre sans combat. Après la **Conquête**, les membres de la noblesse retournèrent pour la plupart en France.

Les premiers **anglophones** à s'établir à Montréal furent des Écossais, attirés par le commerce des fourrures. Plus tard, après la **guerre d'Indépendance** américaine, les loyalistes, qui avaient quitté les États-Unis pour rester fidèles au roi d'Angleterre, vinrent grossir la population anglophone.

En 1775 et 1776, Montréal fut de nouveau occupée. Il s'agissait cette fois des **troupes américaines** commandées par le général Richard Montgomery. Celles-ci venaient dans l'intention de persuader les Montréalais de s'unir aux colonies américaines dans leur lutte contre l'Angleterre. Au début de l'année 1776, ces troupes partirent pour Québec où elles furent défaites par l'armée anglaise.

Le 19e siècle

La fin du 18e s. et le début du 19e s. marquèrent l'**âge d'or du commerce des fourrures** à Montréal. Des comptoirs furent ouverts partout dans le nord du Canada où les Amérindiens des nations locales apportaient, en échange de marchandises diverses, des peaux qui étaient ensuite expédiées à Montréal par canot. En 1783 fut fondée la **Compagnie du Nord-Ouest**, dans laquelle se trouvèrent associées quelques-unes des grandes figures de leur temps : Fraser, Frobisher, Mackenzie,

McGill, McGillivray, McTavish et Thompson. Avec d'autres, ils fondèrent le **Beaver Club** (Club des Castors), où se réunissaient les négociants en fourrures. En 1821, la fusion de la Compagnie du Nord-Ouest et de sa grande rivale, la **Compagnie de la baie d'Hudson**, marqua le début du déclin de Montréal dans ce négoce. Cette dernière exportait ses fourrures en Europe en passant par la baie d'Hudson, de sorte que le rôle joué par Montréal alla s'amenuisant.

La révolte

Montréal n'avait pas participé à la guerre d'Indépendance américaine, mais en 1837, la ville et toute la région se trouvèrent au cœur d'une révolte contre le gouvernement anglais : la **rébellion des Patriotes**. La colonie était administrée par un gouverneur nommé par le roi d'Angleterre, et par un conseil lui-même nommé par le gouverneur. Il y avait aussi une assemblée élue, mais dont les propositions restaient le plus souvent lettre morte. Chez les Canadiens français, d'éminentes personnalités comme **Louis-Joseph Papineau** et **George-Étienne Cartier** protestèrent contre cette situation. Conséquemment à de nombreuses pétitions, le gouvernement anglais prit acte des causes de la rébellion, et accorda par la suite aux Canadiens français un gouvernement représentatif.

L'essor économique

Vers 1820 débuta la conversion de l'économie montréalaise vers le commerce et l'import-export. La création de la Banque de Montréal (1817) et celle du Board of Trade (1822) par la communauté anglophone firent de la rue St-Jacques le **centre financier** de la ville, du Québec et même du Canada, grâce à des investissements dans le secteur des transports.

L'**industrialisation** s'amorça vers 1840 grâce à l'agrandissement du **canal de Lachine** qui, depuis 1825, permettait à la navigation d'éviter les rapides du même nom. Un système de canalisation, aménagé sur le St-Laurent jusqu'aux Grands Lacs, et sur la rivière Richelieu jusqu'à New York via le lac Champlain et l'Hudson, ouvrit de nouveaux axes commerciaux rapidement concurrencés par le **chemin de fer**. Montréal devint rapidement la plaque tournante du système ferroviaire. En témoigne l'ouverture du pont Victoria (1859), qui permit de franchir le fleuve et de développer un axe ferroviaire nord-sud entre Montréal et le Vermont.

Ville de confluence, Montréal le fut encore par son **port** dont l'expansion tint au chemin de fer qui traversa le Canada de l'Atlantique au Pacifique, en 1885. Le développement des provinces des Prairies créa un nouveau marché pour la ville : à l'aller, les céréales affluaient au port en vue de l'exportation ; au retour, les wagons apportaient dans l'Ouest les produits manufacturés à Montréal.

Le 20ᵉ siècle

La crise économique des années 1930 mit fin à la période de croissance. Le chômage bondit et, partout, les silhouettes de projets inachevés se multiplièrent. Prospérité et dynamisme se retrouvèrent sous l'administration du maire **Jean Drapeau** (élu pour la première fois en 1954). Le centre-ville et l'est de Montréal connurent de grands chantiers car l'homme, très ambitieux, entreprit de redessiner une métropole. Montréal fut aussi le cadre de deux événements internationaux majeurs et porteurs. Tout d'abord, l' **Expo 67** (en commémoration du centenaire de la Confédération canadienne), pour laquelle fut créée l'île artificielle Notre-Dame, avec les remblais du creusement du métro. Ensuite, les **Jeux olympiques** d'été en 1976, qui virent naître l'imposant Parc olympique dans le quartier Hochelaga-Maisonneuve.

Au cours des décennies suivantes, l'économie de Montréal déclina au profit de Toronto, mais le développement des **industries culturelles** donna un second souffle à la ville. En 1992, Montréal célébra avec éclat son **350ᵉ anniversaire**. Ce fut le point de départ d'une vaste rénovation du quartier du Vieux-Montréal et des rives du St-Laurent autour du Vieux-Port. Des promenades et des pistes cyclables furent aménagées vers l'ancien quartier industriel du canal de Lachine, lui aussi rénové. Après la création du Quartier international de Montréal en 2004, la ville a inauguré le quartier des spectacles en 2007 et la place des Festivals en 2009.

Les dates clés

v. 1000 – Séjours des Vikings sur la côte orientale du Canada (Terre-Neuve).

v. 1100 – Les Thulés, ancêtres des Inuits, pénètrent dans la péninsule d'Ungava.

1492 – C. Colomb découvre l'Amérique.

1534 – Jacques Cartier prend possession du Canada au nom de François Ier.

1535 – Second voyage de Cartier, qui remonte le St-Laurent jusqu'à Hochelaga, site actuel de Montréal.

1609-1633 – Alliance des Hurons et des Français contre les Iroquois. Début des guerres iroquoises.

1642 – Fondation de Ville-Marie, aujourd'hui Montréal, par Maisonneuve.

1701 – Paix de Montréal : fin des guerres iroquoises.

1759 – Défaite française à la bataille des plaines d'Abraham. Reddition de Québec aux Anglais.

1760 – Capitulation de Montréal.

1763 – Le traité de Paris cède la Nouvelle-France à l'Angleterre.

1774 – L'acte de Québec organise la nouvelle colonie anglaise. Il reconnaît les lois civiles françaises et garantit aux Canadiens le libre exercice de leur religion.

1791 – L'Acte constitutionnel crée le Haut-Canada (Ontario) et le Bas-Canada (Québec), et octroie à chacun une Chambre d'assemblée.

1837-1838 – Rébellion des Patriotes. Suspension de la Constitution de 1791.

1867 – L'acte de l'Amérique du Nord britannique crée la Confédération canadienne (Ontario, Québec, Nouveau-Brunswick et Nouvelle-Écosse).

1948 – Le Québec adopte son drapeau provincial.

1960 – Début de la Révolution tranquille sous l'impulsion du Premier ministre Jean Lesage.

1967 – Exposition universelle de Montréal.

1968 – Fondation du Parti québécois. (parti nationaliste souverainiste).

1969 – Adoption de la loi 63, première loi visant la promotion de la langue française au Québec.

1970 – Crise d'octobre (troubles sociopolitiques liés à la prise d'otages par le Front de libération du Québec) et déclaration des mesures de guerre.

1976 – Jeux olympiques d'été de Montréal. Élection du Parti québécois.

1977 – Adoption de la loi 101.

1980 – Référendum sur la souveraineté du Québec : le « non » obtient 60 %.

1982 – Rapatriement (de Londres) de la Constitution canadienne de 1867. Le Québec est la seule province à ne pas signer l'acte de Constitution.

1992 – Échec du référendum national sur l'attribution d'un statut spécial pour le Québec.

1995 – Référendum sur la souveraineté du Québec : le « non » obtient 50,6 %.

2006 – Le Canada reconnaît au Québec un rôle international.

2012 – Après la contestation étudiante et sociale du « Printemps érable », le Parti québécois gagne les législatives en septembre. Pauline Marois devient la première femme chef du gouvernement au Québec.

Le français du Québec

Le français est la seule **langue officielle** du Québec, cas unique au Canada. C'est la langue commune pour 94,2 % de la population et la langue maternelle de 80 % d'entre elle. À Montréal toutefois, un peu moins de 54 % de la population parle le français à la maison et, selon une étude récente, les francophones pourraient même devenir minoritaires d'ici à 2021.

Une langue menacée

La question linguistique surgit suite à trois facteurs : la prise de conscience de la fragilité de la culture française au sein d'une entité anglophone (le Canada anglais et les États-Unis) ; les effets d'une forte immigration internationale sur l'équilibre linguistique de la province (les nouveaux arrivants ayant plutôt tendance à s'intégrer à la minorité anglophone) ; la baisse du taux de natalité.

L'affirmation d'une identité

Alors que la population anglophone s'attendait à une assimilation complète du phénomène francophone, la **Révolution tranquille** des années 1960 démontre que les francophones d'Amérique du Nord tiennent à défendre coûte que coûte l'usage de la langue de Molière. Avec la laïcisation de l'État se forme une conscience politique identitaire et souverainiste. Ce mouvement va de pair avec l'affirmation de l'identité québécoise comme peuple (auparavant « canadien-français »), qui promeut la langue française.

Un parti politique exprime ces nouvelles valeurs : le **Parti québécois**. Il fait son entrée sur la scène politique en 1968 et il est porté au pouvoir une première fois en 1976. En 1977, la fameuse **loi 101**, appellation donnée à la Charte de la langue française qui proclame le français comme la langue officielle du Québec, est votée. Tout en reconnaissant la présence anglophone et en excluant de sa juridiction les nations autochtones, libres de s'exprimer dans leurs langues respectives, l'État québécois veut vivre, travailler et communiquer en français.

La question de l'affichage

Elle constitue un débat qui mobilisa les médias pendant de nombreuses années. D'abord uniquement en français dans tous les commerces, l'affichage devient en 1988, après que la législation s'est adoucie, **bilingue**, à la condition que le français ait une nette prédominance sur l'autre langue. Le gouvernement prend aussi des mesures radicales au niveau de l'enseignement, afin qu'anglophones et allochtones soient intégrés à l'école française : il est exigé qu'un des deux parents ait suivi des études primaires en anglais au Québec pour que leur enfant puisse faire de même. Une levée de boucliers coupe court à cette mesure et plusieurs lois successives viennent affaiblir la loi 101 originale.

Au quotidien

La question de la langue reste un sujet sensible et une préoccupation pour les francophones. L'anglais est aujourd'hui prépondérant dans le secteur privé, les télécommunications et la haute technologie. L'**anglicisation** s'insinue aussi au quotidien. Ainsi, à Montréal, des quartiers comme le nord du Plateau, largement francophones il y a quelques années encore, deviennent bilingues, ou plutôt multilingues, étant donné le brassage des communautés ethniques. Le français québécois diffère beaucoup de son cousin européen, tant par son accent que par son lexique et sa syntaxe. Coupé de ses racines françaises depuis la Conquête anglaise de 1759, le québécois a évolué pour devenir une **langue originale** où se mêlent des archaïsmes issus des anciens patois bretons, normands, poitevins et du parisien populaire du 17e s. (« avaricieux » pour avare, « ménage » pour meuble, « menterie » pour mensonge), des mots amérindiens (atoca, caribou, tabagane, babiche…) et beaucoup d'anglicismes : joke (plaisanterie), gang (bande d'amis), cruiser (draguer), catcher (comprendre, attraper), checker (vérifier, regarder), etc. À noter, le **tutoiement** est largement utilisé, le « vous » s'emploie le plus souvent dans son sens pluriel. On rajoute volontiers le « tu » à la fin des questions : « T'en veux-tu ? »
Détail cocasse : les **sacres** (jurons). La religion ayant été très présente au sein de la colonie, les Québécois en ont tiré l'essentiel de leur vocabulaire qui sert de jurons (calisse, tabarnak, ostie, criss…).

Quelques mots et expressions

Beurre de pinotes .... de cacahuètes
Blé d'inde .... maïs
Boisson .. boisson alcoolisée uniquement
Breuvage .... boisson non alcoolisée
Liqueur .... boisson gazeuse
Cannes .... conserves
Bar-laitier .... marchand de glaces
Dépanneur .... épicerie de proximité
Ustensiles .... couverts
Tip .... pourboire
Bienvenue .... de rien, il n'y a pas de quoi
Jaser, placoter .... bavarder
Chialer .... se plaindre
Brailler .... pleurer
Asteure .... maintenant
Drette icitte .... juste ici
Un bec .... un petit baiser
Tomber en amour ... tomber amoureux
Blonde .... petite amie
Chum .... petit ami
C'est plate .... c'est ennuyeux
Fun .... super
Change .... monnaie
Charger .... facturer ou faire payer
Magasiner .... faire du shopping
Gazer son char .... faire le plein
Dispendieux .... cher
Aubaines .... rabais, soldes
Caméra .... appareil photo
Fournaise .... chaudière
Mouiller .... pleuvoir
Achâle-moi pô .... m'embête pas
Atta a tipeu .... attends un peu
Anyway .... de toute façon
Pantoute .... pas du tout
Chu tanné .... j'en ai marre
T'es don' bin fin .... tu es bien gentil
J'men câlisse .... je m'en fiche

113

Saveurs montréalaises

Confrontés à la rudesse des hivers et des travaux des champs, les colons de la Belle Province optèrent naturellement pour une cuisine riche et consistante, à base de pommes de terre, maïs, fèves au lard, fromages, gibier et poisson. Pour autant, les recettes du terroir ne manquent pas de finesse. Issus de l'immense réservoir naturel des provinces canadiennes, les produits étonnent par leur variété et leur richesse de goût. La mosaïque des communautés qui composent Montréal a en outre favorisé la diversité des saveurs : entre trattorias italiennes, bistrots new-yorkais, brasseries parisiennes, tavernes grecques, restaurants chinois, polonais, indiens, iraniens ou portugais, les gourmets ont l'embarras du choix. Après New York, Montréal est la ville qui possède la plus grande densité de restaurants par habitants en Amérique du Nord : soit plus de 6 000 adresses ! Depuis quelques années, les Montréalais se sont pris de passion pour la gastronomie. On ne compte plus les émissions culinaires, et la mode est aux cours de cuisine et d'œnologie.

Les chefs québécois rivalisent de créativité ; certains redécouvrent les plats traditionnels ou les réinterprètent. Ainsi, dans son restaurant « Au Pied de cochon » (♿ *p. 34*), **Martin Picard** mêle poutine et foie gras ; « Chez L'Épicier » (♿ *p. 28*), dans le quartier du Vieux-Port, **Laurent Godbout** redore le blason du pâté chinois ; au « Toqué ! » (♿ *p. 31*), **Normand Laprise** développe une cuisine digne de Ducasse ou Robuchon. D'autres chefs jouent la carte du bio et de la cuisine du marché, comme **Fréderic Houtin** au « Sain Bol ». (♿ *p. 32*).

À noter : début novembre, la gastronomie est à l'honneur lors du **MLT à Table** (www.mtlatable. com). Les restaurants qui participent à l'opération proposent 3 services et 3 menus à prix fixes pendant 11 jours.

Les plats

Parmi les plats traditionnels, on mentionnera la **cipaille**, pâté de gibier mêlé de couches de pâte et de pommes de terre, les **fèves au lard**, les **oreilles de crisse** (lard frit qui crisse sous la dent), le **ragoût de boulettes** et la **tourtière** (hachis de viandes en croûte), cousin du **pâté chinois** (hachis parmentier avec du maïs). Quant aux desserts, les tartes au sucre, aux pacanes (noix de pécan) ou aux bleuets (myrtilles) feront le délice des gourmands, à moins qu'ils ne jettent leur dévolu sur le **pudding chômeur**, petit gâteau spongieux au sirop d'érable.

Poutine

La recette traditionnelle exige des **frites** parsemées de « crottes » de fromage et recouvertes d'un **jus de viande** brun, qui couinent quand on les mastique. Mais les variantes de cette mixture sont multiples, voire infinies, selon les sauces, les ajouts de viande ou de fromage.

Vous pourrez goûter la version italienne, mexicaine, espagnole ; la galvaude (avec du poulet et des petits pois), la dulton (avec des saucisses ou de la viande hachée), ou encore la poutine aux crevettes, au homard…

Bagels et viande fumée

Importés par les immigrants juifs d'Europe centrale au début du 20e s., les **bagels**, petits pains au levain en forme d'anneaux, sont très populaires à Montréal. Blanchis à l'eau bouillante additionnée de miel, ils sont ensuite cuits au four à bois. On les déguste nature, aromatisés aux graines de sésame ou de pavot, garnis de fromage blanc, de viande fumée, de saumon fumé… Leurs deux temples sont les boulangeries « Fairmount Bagel » (🕭 p. 35) et « St-Viateur Bagel » (🕭 p. 34).
Issue de la même origine juive, la **viande fumée** ou **smoked meat** est servie en sandwichs dans plusieurs restaurants de Montréal, le plus célèbre étant « Schwartz's » (🕭 p. 32).

Fromages

Aujourd'hui, le Québec recense entre 200 et 300 références de fromages. En l'absence de labels et de zones de production définies, chaque élevage fabrique les siens de façon exclusive, élaborant ainsi des fromages artisanaux originaux. On en trouve au lait de vache, de chèvre et de brebis, ou mixte, et certains sont certifiés biologiques. Plusieurs fromages sont régulièrement primés : le **Riopelle**, un triple crème

de l'Île-aux-Grues, ou le **Pied-de-vent** des îles de la Madeleine, également au lait de vache mais à pâte semi-ferme ; le **Zacharie Cloutier**, fromage au lait de brebis, affiné 4 à 6 mois.

L'érable

C'est à la fin du mois de mars que la sève des érables commence à couler, annonçant le printemps et les fêtes associées à la confection du sirop d'érable, car le **temps des sucres** est une tradition québécoise toujours très vivante. Familles et amis se rassemblent alors pour des **parties de sucre**. On consomme pour l'occasion des mets cuits dans du sirop d'érable et de savoureux desserts arrosés de ce nectar. Du sirop chaud est également versé dans la neige où il se transforme en « tire », une substance semblable à du caramel, que l'on enroule prestement sur un bâtonnet.

La bière

Outre ses deux brasseries, **Molson** et **Labatt**, le Québec compte une multitude de microbrasseries. Les **bières microbrassées** « en fût » (à la pression) sont plus goûteuses que les bières génériques internationales et souvent meilleur marché. Les plus populaires se nomment L'Aphrodisiaque, Maudite, Angus, Cap Tourmente, Blanche de Chambly, Belle-Gueule… 🕭 « Prendre un verre », p. 36.
À noter : un **Mondial de la Bière** (www.festivalmondialbiere.qc.ca) se déroule début juin à Montréal depuis 20 ans.

115

L'architecture

Éclectique, l'architecture de Montréal est une mosaïque d'influences française, anglaise et américaine.

Le 17ᵉ siècle

La colonie ressemblait alors à une petite ville de province française, dont les clochers pointaient à l'abri d'**enceintes fortifiées**. Classé en 1964, le périmètre du Vieux-Montréal était ainsi paré d'églises, de couvents, de collèges, d'hôpitaux, de demeures aristocratiques ou bourgeoises, d'une **place d'Armes** et d'une place du marché. La forme des bâtiments, construits par des ouvriers et des architectes venus de France, était influencée par des **styles vernaculaires régionaux**, plus particulièrement bretons et normands. La pénurie d'ouvriers qualifiés généra une **architecture domestique** aux formes simples et à l'ornementation dépouillée. Le seul exemple qui ait survécu se situe hors du bourg, il s'agit de la maison LeBer-LeMoyne à Lachine (🕭 p. 104).

L'arrivée de plusieurs ordres religieux (Ursulines, Augustines et Jésuites) donna naissance à une **architecture institutionnelle** reflétant l'influence du classicisme français. Témoin de cette époque : le Vieux Séminaire de St-Sulpice (🕭 p. 58), de style palatial. Ces bâtiments, comme beaucoup de maisons bourgeoises de l'époque, furent érigés sur des voûtes de pierre.

Le 18ᵉ siècle

Plusieurs **incendies** dévastateurs, notamment celui de la Basse-Ville de Québec, poussèrent les administrateurs locaux à créer de nouvelles réglementations visant à « canadianiser » l'architecture. Plus adaptées au contexte climatique nord-américain, ces réglementations donnèrent naissance à une architecture traditionnelle à l'origine de la fameuse maison québécoise. De strictes ordonnances imposaient donc l'utilisation de toitures à couverture d'ardoises, de voûtes de pierre, et interdisaient l'emploi d'ornements de bois, susceptibles de prendre feu. La maison du Calvet (🕭 p. 61), construite en 1770, illustre ce type de maison urbaine en pierre de taille, surmontée d'un toit à deux versants, protégée de ses voisines par des murs coupe-feu et dotée de larges souches de cheminée.

La **Conquête anglaise** laissa nombre de villes et de villages en ruine ; le style traditionnel typique du Régime français perdura jusque vers 1800, puis l'influence britannique modifia peu à peu le paysage architectural québécois. L'architecture domestique emprunta au modèle anglo-saxon de la **maison unifamiliale**, caractérisée par la présence de cheminées massives s'élevant au-dessus de toits peu pentus à quatre versants.

Le 19ᵉ siècle

Le **style palladien** domina le premier quart du 19ᵉ s. Avec ses frontons et ses pilastres, ses colonnes doriques et ioniques, ses corniches moulurées et ses chaînages d'angle, ce style – emprunté à l'architecte italien du 16ᵉ s. Andrea Palladio – s'inspirait de l'architecture classique de l'Antiquité. Les façades étaient généralement de pierre taillée à assises régulières, comme l'illustre l'édifice de l'Ancienne-Douane (🖙 p. 65). Un **néoclassicisme** plus rigoureux, fondé sur l'ordre et la grandeur, apparut vers 1830. Le marché Bonsecours (🖙 p. 62) en est un témoignage. Équivalent au Québec du cottage anglais, la **maison québécoise** s'imposa comme un type architectural original à partir des années 1830-1840. Synthèse harmonieuse entre l'héritage français et l'influence anglaise, ce type d'habitation présentait une silhouette agréable rehaussée d'ornements, et offrait à ses occupants un confort insoupçonné (grandes fenêtres, balcons, pièces de réception, mode de chauffage, etc.).

L'architecture de la seconde moitié du 19ᵉ s. subit l'influence de styles très variés. De nombreuses églises furent ainsi érigées dans le **style néogothique**, déjà populaire en France grâce à l'œuvre de l'architecte et restaurateur Viollet-le-Duc. Selon que l'église à construire était catholique ou protestante, le modèle était français ou britannique. L'architecture intérieure de la basilique Notre-Dame (🖙 p. 57) est représentative de ce renouveau.

Le **style néo-Renaissance**, inspiré des palais et villas italiens, fut adopté par la bourgeoisie et employé dans beaucoup d'édifices à caractère commercial. L'hôtel Ritz-Carlton (🖙 p. 80) est caractéristique de ce style, avec ses larges corniches et son ornementation flamboyante.

Le **style Second Empire**, à la mode durant le règne de Napoléon III, fut adopté à partir des années 1870. Il est reconnaissable à son toit mansardé percé de lucarnes, ses fenêtres à linteaux cintrés et ses élégantes crêtes faîtières en fer forgé. L'hôtel de ville (🖙 p. 60) est emblématique de ce style. Partie intégrante du Centre canadien d'architecture, la maison Shaughnessy (🖙 p. 83) en possède également les caractéristiques.

Après avoir créé plusieurs édifices de style néogothique, l'architecte **Victor Bourgeau** (1809-1888) se mit à adopter le **style néobaroque**. Son œuvre majeure, la basilique-cathédrale Marie-Reine-du-Monde (🖙 p. 73), fascine par ses proportions massives, son large dôme et son intérieur orné d'un impressionnant baldaquin doré à l'or fin.

À la fin du 19ᵉ s., sous l'influence de l'architecte **Eugène-Étienne Taché**, s'impose un style révélateur de la naissance d'une identité architecturale nationale : le **style château**, inspiré des châteaux français du Moyen Âge et de la Renaissance. Le Québec, comme les autres provinces canadiennes, se couvre d'édifices monumentaux ornés de tours et de tourelles et coiffés de toits coniques et de mâchicoulis, en particulier lors de la construction des

117

grands hôtels et des gares du chemin de fer Canadien Pacifique. À Montréal, ce style, développé par l'architecte américain **Bruce Price**, trouve toute son expression dans la gare Windsor (👍 p. 73).

Autre interprétation de l'architecture médiévale, le **style néoroman** fut, peu avant 1900, principalement utilisé dans la construction des édifices religieux. Caractérisé par des arcs en plein cintre, des contreforts, des colonnes, des arcades, de profondes fenêtres et un appareil de pierres à bossage rustique et sombre, il s'incarne par exemple dans l'église St-Léon de Westmount.

Le 20e siècle

Au début du 20e s., de nombreux architectes partirent puiser de nouvelles sources d'inspiration à l'École des beaux-arts de Paris. Le **style Beaux-Arts** devint le style institutionnel sous le gouvernement de Louis-Alexandre Taschereau. Le musée des Beaux-Arts (👍 p. 80), avec son escalier monumental et son portique-colonnade, illustre cette influence académique basée sur la symétrie et les effets de monumentalité. Introduit dans la province durant une période de prospérité économique, ce style allait symboliser au Québec le pouvoir et le faste d'une époque. Somptueux hôtel particulier, le château Dufresne (👍 p. 98) reflète le goût nouveau d'une bourgeoisie opulente pour les élégantes colonnes jumelées, les balustrades ouvragées et les éléments décoratifs raffinés.

La mise au point, aux États-Unis, d'ossatures métalliques adaptées à la construction annonça **l'ère des gratte-ciel**. Influencées par l'école de Chicago, ces gigantesques structures marquent une rupture totale avec le passé. L'emploi de matériaux nouveaux et le recours à des techniques révolutionnaires permirent aux architectes d'élargir leur champ d'action. En 1928, un bâtiment dépasse pour la première fois les 100 m : celui de la Banque Royale (👍 p. 56). L'édifice Sun Life (👍 p. 72), agrandi et rehaussé, le surpasse d'un mètre en 1933, arborant d'imposantes façades et colonnes en granit.

Vint la vogue du **style Art déco**, caractérisé par l'emploi d'éléments géométriques, gravés sur des matériaux précieux tels le marbre ou le bronze. Le plus grandiose édifice du genre est l'université de Montréal, construite par l'architecte **Ernest Cormier**. Durant les années 1900-1930 se répand en parallèle le modèle typique de l'habitat montréalais, ces duplex et triplex avec leurs façades de brique rouge ou de pierre grise, ornées de balcons et d'escaliers métalliques, de colonnades, bow-windows, mansardes et corniches ouvragées.

Après une période de récession, les années 1950 inaugurent un renouveau urbanistique et l'essor d'une **architecture moderniste**, développée par Le Corbusier et Gropius. Des lignes simples et fonctionnelles définissent un style épuré. L'architecte Mies van der Rohe, partisan du **style international**, fait usage dans ses constructions de murs-rideaux en verre et de métal noir. Le complexe de Westmount Square (☎ p. 86) porte son empreinte. Le centre-ville de Montréal se hérisse de hautes tours, à l'image de la place Ville-Marie, construite en 1962 par l'architecte **I. M. Pei**. Des quartiers entiers sont rasés sans états d'âme pour faire place nette et tracer des autoroutes urbaines. L'Exposition universelle de 1967 est aussi l'occasion de voir surgir des projets audacieux, comme l'ensemble Habitat 67 (☎ p. 101) dessiné par l'architecte **Moshe Safdie**, des maisons empilées comme des Lego. L'architecture religieuse connaît elle aussi un nouvel élan grâce à l'œuvre du moine bénédictin **Dom Paul Bellot**, inspirée par Viollet-le-Duc. Il introduit le **gothique moderne**, illustré par l'oratoire St-Joseph (☎ p. 86). Dans les années 1980-1990, le courant **postmoderne** vient rompre la monotonie architecturale des décennies précédentes. Plus soucieux du passé, de l'intégration au paysage et de la variété des matériaux, le postmodernisme égaye ses édifices de frontons, d'arcs en ogive et de bien d'autres motifs qui les singularisent dans le paysage urbain. Le 1000 de la Gauchetière (☎ p. 72), la place de la Cathédrale (☎ p. 76) et la maison Alcan (☎ p. 79) sont d'excellents exemples de cette nouvelle approche. Le Centre canadien d'Architecture (☎ p. 83), construit par les architectes **Phyllis Lambert** et **Peter Rose**, est aussi remarquable.

Depuis la fin des années 1990, la métropole a entrepris une réhabilitation de ses quartiers historiques, le Vieux-Montréal et le Vieux-Port, portée par la volonté de se réapproprier les rives du fleuve majestueux. Des erreurs ont été corrigées afin que la ville affiche un visage urbain plus chaleureux, à l'image de son Palais des congrès (☎ p. 90) qui, depuis 2002, arbore une éblouissante façade de verre multicolore.

Ville du design

En 1995, le concours Commerce Design Montréal, lancé pour inciter à mettre en valeur les espaces marchands, soulève un élan créatif et remporte un vif succès. Pas étonnant que Montréal ait été élue ville du design par l'Unesco en 2006. Tous les ans, début juin, la municipalité organise un circuit portes ouvertes du design à travers les ateliers et lieux d'expositions, l'occasion de découvrir l'étendue et la variété de l'inventivité dans ce secteur. À Montréal, le design se veut avant tout pragmatique. La ville s'est dotée d'un Bureau du design dont la mission est de susciter, soutenir et promouvoir les créations qui participent de l'amélioration du cadre de vie. Un exemple ? Le Bixi, conçu pour le parc de vélos en libre-service de Montréal (☎ p. 16), a séduit Boston et Londres qui ont choisi de s'équiper de ce modèle. ☎ http://mtlunescodesign.com À noter : ceux que le sujet intéresse peuvent aussi consulter le site **www.visitedesignmontreal.com** qui propose des fiches descriptives de lieux représentatifs.

119

121

123

Collection Le Guide Vert sous la responsabilité d'Anne Teffo

Édition	Vinet Stéphanie, L'Atelier d'édition
Rédaction	Manuel Sanchez, Jérôme Saglio, Laurent Gontier, Gwen Cannon, Marylène Duteil, Alexandra Forterre, Cynthia Ochterbeck
Cartographie	Géraldine Deplante, Isabelle Delouvy, Stéphane Anton, Michèle Cana Plan détachable réalisé d'après les données TeleAtlas. © TeleAtlas 2012
Conception graphique	Laurent Muller (couverture et maquette intérieure)
Relecture	Élisabeth Privat-Paulhac
Régie publicitaire et partenariats	business-solutions@tp.michelin.com *Le contenu des pages de publicité insérées dans ce guide n'engage que la responsabilité des annonceurs.*
Remerciements	Yvonne Simard, Maria Gaspar, Didier Broussard
Contacts	Michelin Guides Touristiques 27 cours de l'Île Seguin, 92100 Boulogne-Billancourt Service consommateurs : tourisme@tp.michelin.com Boutique en ligne : www.michelin-boutique.com

**Plus de 150 000 hôtels
au meilleur prix
www.ViaMichelin.fr**

Clic je choisis, clic je réserve !

Réservez votre hôtel, partout dans le monde, en fonction de vos préférences (parking, restaurant, localisation...) et des disponibilités en temps réel sur les hôtels, campings, gîtes, B&B, résidences.

- ■ *Annulation possible jusqu'à la veille de l'arrivée* (selon conditions de l'hôtel)
- ■ *Recherche d'hôtels directement sur une carte*
- ■ *Disponibilité en temps réel et réservation*

Une meilleure façon d'avancer

Document non contractuel